PANED O DE YN GEORGIA

WENDY JONES

I Mam

Hawlfraint
©Wendy Jones
©Gwasg y Bwthyn, 2020
ISBN: 978-1-912173-41-9

Cyhoeddwyd gyda chymorth ariannol
Cyngor Llyfrau Cymru

Dylunio: Olwen Fowler
Lluniau: Kristina Banholzer, a lluniau
personol yr awdur. Tud. 7 a 41, iStock.
Llun y clawr blaen: *The Merchant's Wife
at Tea*, Boris Kustodiev (trwy gymorth
Scala Archives, Firenze)

Cyhoeddwyd gan
Gwasg y Bwthyn, Caernarfon
gwasgybwthyn@btconnect.com
www.gwasgybwthyn.cymru
01286 672018

Paned o de
YN GEORGIA

WENDY JONES

bwthyn
GWASG Y BWTHYN

CYNNWYS

DIOLCH

Wrth feddwl pa mor ddyledus yr wyf i eraill am eu cymorth sylwaf pa mor gefnogol mae ein cymuned tuag at unigolion sydd angen sgwennu. Dros adeg pan roedd fy myd yn teimlo fel petai yn mynd yn llai ac yn llai agorwyd y drws gan eraill i'w wneud o deimlo'n fwy ac yn fwy.

Ymysg rheini oedd Angharad Tomos, a diolch iddi am ddarllen fersiwn a rhoi sail bendith a hyder i mi pan roeddwn ei wir angen.

Denni Turp am ei arweiniad o grŵp sgwennu Celfyddydau Anabledd Cymru (DAC) a'i brwdfrydedd a'i ffydd i annog ni ymlaen.

Harri Parri am ei ysbrydoliaeth a Gwen Lasarus a Thŷ Newydd am eu gweithgarwch a chael ffydd ynom.

Jon Gower – am ddweud wrthyf am ei newid i'r person cyntaf.

Y diweddar Gwenllïan Jones – am ddweud wrthyf yn ei ffordd gadarn 'ti'n medru sgwennu'.

Anita Rowe – am rannu ei phrofiad cyfoethog ac am ei sylwadau.

Mari Sexton – am ei adborth ac am fod yno.

Meg Elis – am ei chefnogaeth brofiadol ac am fod mor barod i roi cymorth i mi.

Grŵp sgwennu DAC a Dyffryn Nantlle.

Dr. Sam Jones Prifysgol Bangor
a Dmitri Hrapof am eu cymorth
gyda'r trawslythrennu.

Sian Northey – am roi trywydd deallus ar
y fowlen o spaghetti a oedd fy sgwennu, ac am diwnio fy
nghyfieithiadau i mewn i gerddi gydag ysbryd y gwreiddiol.

Duncan Brown – am ei ddiddordeb brwdfrydig ac am ei
amser i roi'r mynegai mewn trefn.

I DAC a rhoddai rhyddhad i ni allan o focs.

Marred Gwasg y Bwthyn – am fy nhywys ar hyd siwrne
hudolus llawn lliw a dychymyg gyda'r ffotograffydd
talentog Kristina Banholzer ac am . . . y clawr!

Kristina Banholzer, ffotograffydd, am ddadansoddi
hoel fy atgofion mewn modd mor arbennig.

Olwen Fowler am ei dylunio hardd tu hwnt.

Pennaeth Adran Olygu Cyngor Llyfrau Cymru, Huw
Meirion, am ei waith manwl ac am wneud i mi feddwl.

Aelodau agos o'r teulu,
Menai, Lucille ac Eileen,
a ffrindiau am fod mor
gefnogol ac am eu
ffydd ynof.

Gwydriad o de du Georgia mewn *podstacannic*, sef y daliwr nicel arian cain, oedd y te a roddwyd i'r teithwyr yn y cerbydau y tu ôl i'r locomotif du oedd yn bwrw ei fwg wrth losgi'r glo a yrrai'r injan ar hyd llwybr troellog y trên Traws–Sibir. Roedd hyn pan gâi Rwsia ei hadnabod fel yr Undeb Sofietaidd. *Profodnitsa*, a gysgai yn y *cwpe* ger y *samofar* tal o ddŵr poeth ar ddiwedd coridor hir, cul gyda'i ffenestri a'i lenni cotwm gwynion, a fyddai wedi ei baratoi, a hynny am ychydig o gopeci, gan ychwanegu lwmpyn caled o siwgr y byddech yn ei daro o dro i dro gyda'r llwy. Byddai unrhyw un a hoffai de yn dysgu'r gair amdano, yn ogystal â'r gair am ddiolch, sef *spasibo*. Efallai y byddech yn teimlo eich ffordd ar hyd y cerbyd sigledig a'i ddefnyddio gyda thinc bach o gwestiwn yn eich llais ac edrychiad petrus hefyd ar eich wyneb wrth ofyn am ail baned gan y *profodnitsa*.

Ar y ffordd yn ôl i'r *cwpe* pedwar neu ddau wely, efallai na fyddech yn sylwi pa mor dda oedd y *podstacannic* yn cadw'r te rhag troi yn sgil siglo'r trên. Roedd fy Nain yn cadw ei chwpan werdd Beryl Ware gorau, art deco wartime utility, gyda gweddill ei llestri yn y cwpwrdd ger y tân, a byddai honno wedi crynu'n ofnadwy gyda symudiad y trên a thaflu ei chynnwys i'r soser. Ond nid felly'r *podstacannic* – roedd y daliwr cain, lliw arian yn dal ei wydr yn gadarn. Cyn y Chwyldro, y bonedd yn unig oedd yn eu defnyddio ac wedyn, yn ystod y cyfnod Sofiet, roeddynt ar gael i bawb, o leiaf ar y trên. Darganfuwyd eu lle ar reilffordd Rwsia fel yr ymestynnodd o ddechrau'r bedwaredd ganrif ar bymtheg. Cadwyd eu dyluniad artistig er gwaethaf masgynhyrchiad. Tref o'r enw Coltshigino tua chan milltir o'r brifddinas, Moscfa, a gynhyrchai'r rhan fwyaf o *podstacannici* a *samofari*. Dyma ardal lle mae anifeiliaid sydd bellach wedi diflannu o Gymru yn dal i grwydro'r coedwigoedd – elc, baedd gwyllt, lyncs a blaidd.

Fel mae'r trên yn dyrnu yn ei flaen, o'r gwely yn y *cwpe* neu wrth eistedd ar sêt fach yng nghoridor hir y cerbyd, gwelir rhisgl gwyn y coedwigoedd bedw diddiwedd rhwng llenni gwyn y ffenestr. Mae'r bedw'n gymaint rhan o ganeuon gwerin, straeon a chwedlau Rwsia ag y mae adar a'u caneuon yn rhan o rai Cymru, y naill ar llall yn gymaint rhan o'u tirwedd eu hunain. Mae un gân werin boblogaidd am y fedwen, '*Fo pole beriosca stoiala*' ('Fe safai bedwen yn y cae'), yn cael ei chynnwys hyd yn oed yn ffinale pedwaredd symffoni y cyfansoddwr mawr hwnnw, Tshaicofsci.

Mae olion y cau fu ar ein tir ni – y waliau cerrig a'r gwrychoedd sy'n creu ac amlinellu patrwm ein caeau ac yn creu cynefinoedd i'n hadar a choridorau i'n bywyd gwyllt – yn absennol yn y fan hon, fel ym mewndir Awstralia a Chanada. Edrycha'r gorwel ymhellach i ffwrdd nag yng Nghymru, y tir fel petai o'n mynd ymlaen am byth, stepdir maith o weiriau hir. Nid oes yma unman lle mae'r dirwedd yn amrywio cymaint â Chymru, lle mae'r mynyddoedd yn cwrdd â'r môr, neu lle mae'r bryniau gwyrdd, meddal wedi eu gorchuddio'n ysgafn gan gymylau isel, neu wedi eu cuddio gan niwl y bore. Siaredir ieithoedd mor amrywiol â'r rhai a siaredir gan bobl gynhenid Awstralia gan y bobl sy'n byw y tu hwnt i'r coedwigoedd bedw a welwn o'r trên, yn ogystal ag iaith weinyddol Rwsia. Mae dwyieithrwydd yn gyffredin, a chydbriodi a mudo dros genedlaethau, wedi creu pobl gyda gwahanol dreftadaeth ddiwylliannol. Dywedwyd am y bardd Efgenii Eftwshenco ei fod o dras Wcráin, Latfia, Rwsia a Tatar.

Mae sawl ffordd o fyw nomadig a rhannol nomadig yn parhau yma. Nid oes yna ffiniau i'w gweld ar draws y tirweddau enfawr, er bod y trên yn croesi 6,560 o filltiroedd ac yn mynd trwy wyth cylchfa amser wahanol. Tra bod trigolion Fladifostoc yn nwyrain pell Rwsia yn barod am eu gwlâu am hanner awr wedi un ar ddeg y nos, nid yw hyd yn oed yn amser te yn y brifddinas, Moscfa, yng ngorllewin y wlad.

Yn y ddinas o'r enw Twla y cafodd y tegell Rwsiaidd, y *samofar* gogoneddus, ei ddyfeisio, gan y brodyr Lisitsin tua 1778 ac mae ei boblogrwydd yn ymestyn cyn belled ag Iran, Twrci ac Afghanistan. Mae'n creu awyrgylch mor ddeniadol yn ei ffordd ei hun â thebot mawr cynnes. Tân siarcol yng ngwaelod y *samofar* sy'n cynhesu'r dŵr i ychwanegu i'r *tsafarca*, sef y te cryf yn y tebot neu *tsiainic* sy'n cael ei gadw'n gynnes ar ei ben. Mae'r *samofar* yn medru bod hyd yn oed yn fwy crand na'r *podstacannic*. Rhyfedd dychmygu y gallem heddiw fod yn yfed te trwy big y tebot. Felly oedd y Tsieiniaid yn ei wneud yn wreiddiol pan ddyfeiswyd y teclyn ganddynt yn y bedwaredd ganrif ar ddeg, ond mae'n dipyn hwylusach cael cwpan yr un yn hytrach na rhannu pig tebot!

I ffwrdd â'r trên trwy Nizhnii Nofgorod neu Gorci fel y'i gelwid yn ystod y blynyddoedd Sofiet, ar ôl yr ysgrifennwr clasurol Macsim Gorci a gafodd ei eni yno. Fe welwn de wedi ei bortreadu fel diod lesol mewn llenyddiaeth Rwsieg yn ogystal â llenyddiaeth Gymraeg. Ond erbyn i Gorci a T. Rowland Hughes sgwennu am fywyd y werin, roedd yfed te wedi dod o fewn cyrraedd pobl gyffredin. Mae T. Rowland Hughes yn disgrifio gofal caredig Meri o Mrs Wilias druan a hithau'n llawn poen:

> Cyn hir yr oedd fflamau gwresog yn y grât, a thrawodd Meri'r tegell ar y tân i wneud cwpanaid o de i'r hen wraig. Pan fustachodd yr hen Gron i fyny i'r llofft ymhen rhai munudau, cafodd ei wraig yn eistedd i fyny yn ei gwely hefo siôl am ei hysgwyddau a chwpanaid o de yn ei llaw, yn chwerthin yn llon wrth wrando rhyw stori a ddywedai Meri wrthi.

Mae'r hen ffordd o yfed te o'r soser pan yn rhy boeth yn cael ei adlewyrchu yn yr arfer yn y De o gyfeirio at 'ddishgled' o de. Sonia T. Rowland Hughes am hyn pan fo William Jones yn mentro sefydlu bywyd yn ne Cymru ar ôl symud yno o'r Gogledd:

> 'Lle ych chi'n mynd 'nawr?' gofynnodd hwnnw.
> 'Yn ôl dros y mynydd.'
> 'Dim heb i chi gal dishglad o de, bachan. Dewch 'da fi.' Nid oedd modd gwrthod: ni wrandawai Sam Ifans ar esgus o fath yn y byd[1].

Ond yn *Sioned* gan Winnie Parry, sydd wedi ei gosod mewn cyfnod cynharach, y bedwaredd ganrif ar bymtheg, mae te fel yn Rwsia yn y cyfnod hwnnw, yn rhywbeth arbennig ac achlysurol ymysg y cymharol gyfoethog, ac allan o gyrraedd pocedi'r tlawd:

> Y peth nesaf ar y rhaglen oedd gwadd Elin acw i de. A rhyw bnawn, pan nad oedd na phobi na golchi, smwddio na chorddi, yn mynd

---

1 T. Rowland Hughes, *William Jones* (Aberystwyth: Gwasg Aberystwyth, 1944), t. 108

ymlaen yn tŷ ni nac yn y Rhiw, dyma Elin acw, reit swil cofiwch fel bydd hi. 'Roedd mam wedi gwneud crempog - mae sôn am grempog tŷ ni drwy'r fro i gyd - ac 'roedd hi wedi tynnu'r llestri gora allan, rhai oedd bia'i nain hi medda hi. Faswn i'n meddwl fod te yn ddrud iawn y pryd hwnnw. Fasa 'nhad yn yfad llond un o'r cwpana ugian gwaith cyn basa fo wedi cael digon 'dw i'n siŵr.

Mae hi hefyd yn sôn am yfed te o'r soser pan mae'n rhy boeth:

Tra 'roedd hi acw, 'roedd modryb wedi cymyd yn 'i phen i ddysgu manars i mi, a phetha anghyfforddus iawn ydyn nhw hefyd. Jest meddyliwch, pan oedd 'y nhe i'n boeth, chawn i ddim 'i dywallt o i'r sosar gini hi, iddo fo oeri, a rhyw lot o fan gybôl felna.'

Efallai nad oedd angen dysgu 'manars' ymysg y cyfoethog yn ystod y cyfnod cynnar. Dangosa'r artist, Boris Cystodief, yn ei ddarlun 'Gwraig Masnachwr yn yfed te' ei destun yn gwneud yn union hynny – dynes gyfoethog, dlos yn eistedd y tu ôl i fwrdd gyda *samofar* godidog wedi ei osod arno, yn yfed te o soser er mwyn iddo oeri, heb ddangos unrhyw fath o embaras.

Mae'r fam dlawd yn llyfr Gorci 'Мать' (Mam) yn gofyn: 'Efallai y buaset yn hoffi gwydriad o de?' ac wedyn yn mynd i gynhesu'r *samofar* ar gyfer ei gwesteion a'i mab. Disgrifia Tolstoi, wrth sgwennu am ei blentyndod a'i fachgendod o'r 1800au ymlaen, ei atgofion ynghlwm ag yfed te:

'Eisteddodd Mam yn y parlwr yn tollti'r te; daliodd y tebot yn un llaw, a chyda'r llall gafaelodd ar dap y *samofar* a dyna lle'r oedd y dŵr yn llifo allan o dop y tebot i lawr ar hambwrdd ... Roedd hi'n amhosib gwneud camgymeriad: roedd yna de yn yr awyr iach, hufen iâ, a ffrwyth. Wrth weld y drol dyma ni'n mynegi ein llawenydd yn swnllyd, oherwydd roedd yfed te mewn coedwig, ar y gwair, ac yn gyffredinol mewn man nad oedd neb erioed wedi yfed te, yn cael ei ystyried yn bleser mawr...'

Ar ôl mynd heibio Nizhnii Nofgorod, â'r trên yn ei flaen tuag at Perm neu'r Weriniaeth Tatar cyn gyrru drwy fynyddoedd yr Wral. Ymlaen ag ef wedyn i Sibir (*Siberia*), gan stopio yn ninasoedd gweinyddol Omsc,

Nofosibirsc, Crasnoiarsc, Ircwtsc ac wrth Lyn Baical, y llyn dŵr croyw mwyaf yn y byd. Mae'r cledrau yn rhedeg drwy ddwyrain Sibir nes iddynt gyrraedd dinas Chabarofsc. O Chabarofsc i ffwrdd â'r trên wedyn nes iddi gyrraedd dinas fechan Nachodca sy'n gorwedd tua hanner can milltir o Fladifostoc, dinas fawr lyngesol. O Nachodca, dim ond pum deg dwy awr neu oddeutu dwy noson ar long Rwsiaidd dros Fôr Ochotsc ac fe fyddech yn Iocohama yn Siapan, sydd yn dangos ei bod hi'n bosib teithio o Gymru cyn belled a Siapan heb hedfan ar awyren.

Cyn i'r rheilffordd gael ei chwblhau, cludwyd te ar sled o Tsieina i Ciachta yn Sibir. Wrth i'r trên ei gludo yn gyflymach a phellach, daeth te yn rhatach i bobl ei brynu, nid yn unig yn Rwsia ond yn Ewrop hefyd a daeth cyfnod llongau te Cwmni Dwyrain India i ben. Roedd te yn cyrraedd Moscfa, Berlin, Paris a Llundain mewn tua deng niwrnod yn unig. Erbyn 1920 penderfynodd llywodraeth Rwsia gefnogi te Georgia a chyda'r gefnogaeth lywodraethol, ymestynnodd Georgia ei marchnad de trwy'r wlad yn ystod y cyfnod Sofiet.

Adroddwyd un stori gan Georgii Calatozhishfili am wreiddiau tyfiant te yn Georgia sy'n sôn am Dywysog Georgia, y Tywysog Miha Eristafi, yn smyglo hadau te yn ôl o Tsieina ac yn eu tyfu. Y pryd hwnnw, yn y 1830au, roedd Georgia yn rhan o Ymerodraeth Rwsia a chafodd rhai hadau te eu harddangos yn Arddangosfa Ryngwladol Rwsiaidd 1864 yn St Pedrbwrg. Erbyn 1899 roedd safon y te wedi gwella cymaint nes iddo dderbyn gwobr mewn arddangosfa ym Mharis. Er bod safon y te yn cael ei herio wrth i'r diwydiant dyfu i gwrdd â'r galw anferth trwy'r Undeb Sofietaidd gyfan, oddeutu 500,000 o dunelli'r flwyddyn o'r 1920au ymlaen, daliodd i fod yn baned o de dda!

Ar ôl chwalfa'r hen Undeb Sofietaidd, daeth y gefnogaeth ariannol i ddiwydiant te Georgia i ben a darfu ei monopoli ar y farchnad. Newidiodd Rwsia i gynhyrchwyr te gwahanol a daeth diwedd ar lawer o blanhigfeydd te Georgia. Er hynny, mae yna gynhyrchwyr te yn bodoli yno o hyd gyda'u ffocws ar ddatblygu te o'r ansawdd gorau. Ond yn ystod y cyfnod Sofiet yno, ar y trên locomotif du Traws–Sibir oedd yn croesi Rwsia, yr unig de oedd ar gael i'w yfed oedd te Georgia, a gallwch weld sut y byddai posib dysgu ychydig o eiriau Rwsieg yn rhwydd, dim ond wrth fod yn hoff o de!

Llinellau ar fap

Beth yw'r ots gennyf i am Gymru? Damwain a hap
Yw fy mod yn ei libart yn byw.

T. H. Parry Williams

Erbyn i mi ddychwelyd yn ôl i Gymru ar y trên Traws–Sibir yn 1980, wedi dwy neu dair blynedd yn Awstralia, roedd llawer o'r syniadau yr oeddwn wedi credu ynddynt wedi cael eu chwalu a'u newid. Roedd y capel Cymraeg yr oeddwn yn ei fynychu yn Awstralia ar nosweithiau Sul yn cael ei rannu gyda Hwngariaid a ddefnyddiai'r adeilad yn y bore. Cawn gipolwg ar wisgoedd oren llachar Hari Krishna wrth iddynt ddiflannu i mewn i'w lle cwrdd hwy rownd y gornel, ac un tro cefais wahoddiad gan gyfaill o Corea i mewn i'r eglwys Goreaidd addurnedig. Ni faliai neb i bwy yr oeddech yn perthyn nag o ba ddosbarth cymdeithasol yr oeddech. Roedd yr economi yn gymharol lewyrchus a'r gymdeithas yn gymdeithasol ystwyth, ac roedd yn teimlo fel petai hi'n bosib bod yn rhywun ym myd trefol Awstralia.

Roedd y cysyniad o hunaniaeth ddiwylliannol fel petai o wedi cael ei luchio i fyny yn yr awyr. Ymdrechai pobl a dyrrai yno o Ewrop a De

America i drawsnewid eu hunain yn ddinasyddion Awstralia. Ychydig o gamau i mewn i'r wlad ac roedd y tirwedd yn elyniaethus, ei gyfrinachau yn perthyn i'w bobl gynhenid. Ystelciai rhai o'r cyfrinachau i mewn i'r trefi, fel y pry cop gwe twmffat a oedd yn barod, ar yr ymyrraeth leiaf, i ymosod a lladd gyda'i wenwyn angheuol, symudai'r chwilod du enfawr ar draws waliau'r ystafelloedd byw ac wedyn roedd yna forgrug gwyn a oedd yn medru bwyta coed nes mai paent yn unig a oedd yn cynnal y strwythur.

Daeth pellteroedd a oedd unwaith yn edrych yn anferth yn fyr i mi. Creai absenoldeb gwrychoedd a waliau a lonydd bach cul dirwedd llawer ehangach na thirwedd Cymru. Wrth groesi gwastadedd Nullabor ar y trên *Indian Pacific* yn teithio o Sydney ger y Môr Tawel i Perth ar Fôr India, fe ymlwybrai'r trên trwy goed *eucalyptus* y Blue Mountains y tu allan i Sydney. Wrth adael gwareiddiad o'n hôl, trôi'r dirwedd i mewn i ryw fath o anialwch oren lle ymddangosai'r haul fel pêl oren enfawr a diflannai y tu ôl i orwel pell, ac roedd grwpiau o gangarŵ ac *emu*, wedi eu dychryn gan y trên yn troi'n *silhouettes* yn erbyn yr awyr biws-ddu. Mae un darlun yn aros yn fy nghof – dynes frodorol (*aborigine*) yn eistedd ar gadair ar feranda hen dŷ pren a'i siap wedi'i amlinellu'n siarp yn erbyn y dirwedd enfawr, sych. Hyd yn oed ar ôl mwy na dwy flynedd o fyw yn eu gwlad, ychydig a wyddwn amdani hi a'i phobl.

Llythyr awyr o Awstralia
a chelf pobl cynhenid

Dilynai'r daith adref lwybr y Traws–Sibir o borthladd Nachodca yn nwyrain pell yr Undeb Sofietaidd, fel y gelwid Rwsia'r adeg honno. Aeth y llong o borthladd Iocohama yn Siapan, ar draws Môr Ochotsc, môr a oedd unwaith yn dynfa i bysgotwyr morfilod. Hen long fawr haearn oedd hi a chefais wely a oedd yn un o dri mewn caban cam yn ei pherfeddion gyda pheipiau mawr swnllyd yn rhedeg i lawr y waliau. Gwnaed y gwelâu'n glyd a phreifat gan gyrtens brocêd melyn. Ar ddec y llong roedd y rhubanau lliwgar a oedd wedi cael eu clymu i'r lan yn cael eu torri a phobl yn ffarwelio gan chwifio eu breichiau a sychu ambell ddeigryn.

Nid oedd gennyf neb i ffarwelio ag o, felly ffarweliais â'r wlad gyda'i dail masarn hyfryd, ei the gwyrdd a'i seti isel. Ffarweliais â'r cysegrfannau bach yn strydoedd Tôcio, y caeau padi lle tyfid reis ac a deimlai mor hen ffasiwn, y temlau a'u pensaernïaeth unigryw, y moduron tacsi gyda'u drysau awtomatig, y gwisgoedd anfarwol a sŵn annisgwyl y gân 'The Sound of Music' mewn Siapanaeg yn cael ei throsglwyddo trwy uchelseinydd allan o sinema yn ardal siopa'r Ginsa yn Tôcio. Yn lle tonyddiaeth annealladwy Asiaidd, Siapaneaidd ar y llong, clywn donyddiaeth annealladwy Rwsiaidd. Y noson honno, ar ôl gwrando ar lais contralto llyfn diddanydd y llong es ar y dec i wylio tonnau'r môr a gwylio Siapan yn cilio ar y gorwel, cyn dringo i lawr stepiau haearn y llong i'r caban cam a'r gwely gyda'i gyrtens brocêd.

Roeddwn wedi dod â llyfr clawr papur o weithiau Oscar Wilde efo fi a chyda'r nosau roeddwn yn claddu fy hun yn 'The Importance of Being Earnest' a 'Lady Windermere's Fan' cyn disgyn i gysgu yn siglo swnllyd yr hen long Rwsaidd ar Fôr Ochotsc, ac yna ar drên

*Ardal teml Nicco-San
Tshwzen Siapan*

stem y Traws–Sibir. Cefais gwmpeini storïau Oscar Wilde ar y nosweithiau yn ystafelloedd plaen y gwestai a oedd yn arogleuo o ryw ddefnydd glanhau holl bresennol a'm hatgoffai o'r sebon carbolig a gâi ei ddefnyddio bron ym mhobman pan yr oeddwn yn blentyn.

Yn y *cwpe* dosbarth caled a'i bedwar gwely cul gyda'u cynfasau cotwm glân a'u blancedi gwlân, gallwn ymgartrefu yn y bync top. Nid oedd deiliaid eraill y *cwpe* - tair Americanes glên, yn hoff o ddringo i fyny yno, ond yr oeddwn i wrth fy modd. Digon hawdd oedd cadw fy mag wrth droed y gwely neu uwch fy mhen mewn rhwyd a grogai yno. Yn y cerbyd bwyd cyfarfûm a dwy Saesnes anturus a oedd dros eu saithdegau, un ohonynt yn defnyddio ffon. Mynnent ddangos eu *cwpe* dosbarth meddal i mi. *Cwpe* yn union yr run fath â'r un yr oeddwn i ynddo ond efo dau wely yn unig. Crwydrais i fyny ac i lawr y trên heibio'r bwndeli a'u perchnogion gyda'u siolau o gwmpas eu pennau a'u hysgwyddau, y dynion yn chwarae cardiau neu wyddbwyll, y plant yn darllen neu'n lliwio, a babis yn cysgu ar fronnau eu mamau. Hoffwn gerdded lle yr ymunai un cerbyd â'r llall, man a siglai'n wyllt a lle y cawn anadlu ychydig o'r awyr iach y tu allan i'r trên.

Ymlwybrai'r trên trwy wahanol diriogaethau gan ymadael â Nachodca a'i borthladd i gyfeiriad dinas Chabarofsc. Roeddwn wedi disgyn i mewn i oes y *pioneru*, y *comsomolu*, dannedd aur, Cynlluniau Pum Mlynedd y Sofiet Goruchaf ac, yn fwyaf amlwg i mi y pryd hwnnw, oes *Intourist*, yr asiantaeth deithio Sofietaidd. Cefais fy mhaned gyntaf o de Georgia ar y trên gan *profodnitsa* groesawus, gwallt melyn efo nifer fawr o ddannedd aur a finnau efo llond ceg o arian byw.

'*Tshai*', meddai, '*tshai*'.

Chwifiodd y *profodnitsa* siwgr lwmp anferth gwyn o dan fy nhrwyn gan ryddhau llif o eiriau Rwsieg. Ysgydwais fy mhen cyn cymryd y *podstacannic* o *tshai* heb lefrith, nodio fy niolch a'i gario yn ôl i fy *cwpe*. Eisteddais gyda fy *podstacannic* yn y bync uchel, clud yn gwrando ar sŵn injan y trên yn codi'n uwch ac yn uwch a'r olwynion yn troi'n gyflymach a chyflymach. Nid oeddwn wedi colli dim o'r te er gwaethaf symudiad y trên ac fe'i yfais heb lefrith am y tro cyntaf.

Roedd rhaid defnyddio'r toiled o bryd i'w gilydd, wrth gwrs. Roedd pob dim yn mynd i lawr yn syth ar y trac. Doedd o ddim o bwys mawr yng nghanol y wlad, am wn i, a doedd yna ddim papur toiled. Roeddwn yn ymolchi ac yn golchi dillad isaf a sanau yn y sinc a'u hongian wrth droed y gwely, ac roeddynt wedi sychu yng nghynhesrwydd y trên erbyn bore. Does dim byd gwell na theithio'n ysgafn.

Wrth fynd i nôl paned a mynd i'r toiled ac i'r cerbyd bwyta, plygwn i lawr i wyro o dan goesau deiliad y bync uchel yn y *cwpe* drws nesaf – consgript swil tua saith troedfedd o daldra â chorff fel Harlem Globe Trotter. Roedd o mor dal nes iddo orfod sticio ei draed trwy'r drws ac ar draws y coridor lle'r oedd ei goesau wedyn yn hongian i lawr fel bwa. Dyma adeg pan oedd gorfodaeth filwrol yn gyffredin yn y byd. Wrth fynd i'r cerbyd bwyd, cefais gip ar lanc ifanc Saesnig yn rhannu siocled gyda'r tri soldiwr consgript a rannai ei *cwpe*, a rheini'n rhannu rhyw fath o fodca cartref. Ar y ffordd yn ôl cefais 'helô' gan y Sais ifanc a '*strastfwite*' gan ei gyfoedion. Sgleiniai llygaid y tri ohonynt fel penbyliaid. Pedwar cant a phump o filltiroedd wedyn, tynnodd y trên i mewn i orsaf Chabarofsc.

Yno yr oeddwn, yn cerdded o gwmpas y parc, pan glywais fod nifer o wledydd yn y Gorllewin am wrthod cymryd rhan yn y Gemau Olympaidd oherwydd goresgyniad y Sofietiaid ar Afghanistan. Nid parc fel ein rhai ni oedd hwn – roedd yna fwy o goed a llai o ôl pobl a'u sbwriel. Teimlai fel rhan o'r dirwedd enfawr, wyllt; roedd yr aer mor ffres a'r planhigion mor amrywiol . Yn anghydweddol, gwelwn *bumping cars* yn y pellter. Roeddwn yn amlwg yn ddieithryn a rhedai plant ataf yn llawn chwilfrydedd a chyfeillgarwch. Ceisiai nifer ohonynt roi arian dathliadol y Gemau Olympaidd i mi.

Wyddwn i ddim byd am Afghanistan, un o'r gweiriau hynny yng nghanol gwyntoedd cryfion y grymoedd mawr. Gwyrai llywodraeth Afghanistan tuag at yr Undeb Sofietaidd, er mwyn datblygu'r economi, gan gynnwys adnoddau milwrol.

Daeth dyn ifanc i gynnig cymorth i mi wrth i mi chwilota am ryw gyfeiriad ar fap i gael hyd i'm ffordd yn ôl i'r gwesty. Siaradai Saesneg. Darpar feddyg oedd meddai, dyna oedd ei freuddwyd, bod yn feddyg a rhoi cymorth i bobl, er bod y cyflog dipyn yn is na gweithiwr ffatri.

Cerddodd gyda mi yn ôl i'r gwesty'n ddiogel.

Yn ôl yn y gwesty roedd tywysydd *Intourist* yno i'n hebrwng, ac roedd yna un o'r bysus gyda llenni gwynion a oedd yn hebrwng pobl i weld atyniadau. Roedd y tywyswyr dwyieithog yn llawn ffeithiau a threfniadau tripiau, a hynny'n brofiad dieithr i mi'r adeg honno. Roedd yna drip i Amgueddfa Ranbarthol Chabarofsc a gwirionais yn llwyr gyda'r mamoth wedi'i stwffio. Rhyfeddais, yn wir, at yr enghreifftiau o natur yno: teigrod Sibir, llewpartiaid Amwr, eirth a thyfiant naturiol arbennig yr ardal. Safai'r ddinas ger afon Amwr, un o afonydd hwyaf y byd, cartref y *calwga*, stwrsiwn anhygoel o fawr sy'n cael ei ystyried y pysgodyn dŵr croyw mwyaf yn y byd. Roedd sôn yno hefyd am y gwahanol lwythi a oedd yn byw yn y rhanbarth – y bobl Efenc ac Wltsi i enwi dim ond dau, yn ogystal â phobl Rwsia. Ac yn wir, fe edrychai'r boblogaeth fel petai nhw o wahanol lwythi. Edrychai rhai pobl yn Asiaidd. Roedd yn ddinas unigryw wedi'i hamgylchynu â natur a chydag awyr anhygoel o ffres.

'Lle dach chi'n mynd?' gofynnodd rhywun.

'Am Moscfa,' atebais.

'O, i'r Gorllewin,' meddent.

'Ia' atebais innau.

Fel y rhan fwyaf o bensaernïaeth Ewrop ar ôl y rhyfel, roedd gan Chabarofsc rywfaint o fflatiau uchel dinasoedd Rwsia wedi eu plannu yn anghydweddol yn y dirwedd a oedd yn ymddangos fel pe bai'n mynd ymlaen am byth. Gwelwn eglwys a'i chromennau aur siâp nionyn ac, fel roedd y trên yn tynnu allan o'r orsaf, gwelwn y tai pren deniadol traddodiadol, yr *izbau*.

O safbwynt anthropolegol, yr agosaf at y Gorllewin yr oeddwn yn mynd ar hyd llinell y trên Traws–Sibir, y mwyaf gorllewinol yr oedd pobl yn edrych. Roedd fel petai llinellau gwladwriaethol yn gorwedd ar olion llwythi crwydrol a oedd wedi gwreiddio yno bellach, yn ogystal ac ar hen, hen ffiniau a osodwyd gan frwydrau wedi eu hennill a'u colli. Rhyw ddeng milltir o Chabarofsc ac fe fyddech yn Tsieina.

Ar y trên, er mai trên gwahanol oedd hwn, edrychai pob dim yr un fath – hyd yn oed y *profodnitsa*. Dechreuodd injan y trên gan yrru

Y balalaica

cymylau o fwg du am y nen. Lledodd ei sŵn fel rhythm rhyw fiwsig cefndirol trwy'r cerbydau. Swynai sŵn rhediad ei injan ni i gysgu gyda'r nos. Eisteddai ambell berson yn effro ar un o'r seti bach tynnu i lawr yn y coridor. Ond fel arall, roedd fel petai pawb yn cysgu. Y stop nesaf oedd Ircwtsc, 1,369 milltir i ffwrdd.

Y tro hwn roedd gan bob *cwpe* botyn o flodau – pob un ond yr un yr oeddwn i'n cysgu ynddo. Wnes i ddim sylwi ar hyn, ond fe wnaeth y *profodnitsa* sylwi wrth basio, ac yr oedd hi'n amlwg wedi ypsetio'n lân. Y tro nesaf y stopiodd y trên yng nghanol nunlle, ac yr oedd yn gwneud hynny o dro i dro, fe yrrodd hi gonsgript arall, swil i lawr arglawdd serth i hel rhai! Ac fe wnaeth hynny'n ufudd. Yna, fe roddodd hi nhw mewn potyn gydag ychydig bach o ddŵr a'i roi yn ddel ar y bwrdd bach rhwng y bynciau gwaelod lle y bu am weddill y siwrne i Ircwtsc.

Fe stopiodd y trên yn rhywle, nid wyf yn cofio na gwybod lle, rhyw bentref â'r strydoedd yn llwch, a chrwydrais i mewn i farchnad yn gwerthu afalau a thatws. Ceisiais brynu afal. Roeddwn gymaint eisiau ffrwyth ac nid oedd yna ddim i'w cael ar y trên. Chwarddodd yr hen wreigan arnaf pan wnes i gynnig *copecau* iddi hi, a mynnodd roi'r afal i mi am ddim. Nid tan flynyddoedd yn ddiweddarach y sylweddolais i pa mor ddrud oedd ffrwythau yn gallu bod.

Wrth chwilota am anrheg, cerddais i mewn trwy ddrws agored. Nid oedd yna arwyddion siopau i'w gweld. Marchnad gig oedd hon, ond yr anifeiliaid wedi eu torri yn wahanol i'r rhaniadau cig yr oeddwn wedi arfer gweld yn ein siopau cig ni. Roeddwn yn llysieuwraig ar y pryd ac fe es yn ôl allan reit sydyn. Trwy ddrws agored arall gwerthwyd *scrimshaw*. Prynais un yn ddifeddwl. Arno oedd darlun teigr Sibir a'r gair Fladifostoc wedi ei gerfio arno fel y deallais ymhen blynyddoedd, enw'r porthladd mawr tua 118 milltir i'r dwyrain o Nachodca. Efallai fod y pentref hwn yn agos i Nachodca.

Hen dref aur a ffwr Sibir oedd Ircwtsc. Roedd ganddi nifer o dai pren deniadol, tebyg i'r rhai yn y wlad, tai gyda fframiau addurniedig o gwmpas eu ffenestri. Daeth yn gartref i nifer o alltudion o'r gorllewin y wlad yn y bedwaredd ganrif ar bymtheg a chafodd hwythau ddylanwad ar wedd y ddinas a'u hadeiladau gan gynnwys y tai pren. Ymestynnai meindyrau hir, gwyrdd yr eglwysi i fyny gyda'u cwpolau aur yn sgleinio yn yr haul. Wel, roedd Sibir yn hardd! Y rhan yma p'run bynnag. Nid oeddwn yn bell o Lyn Baical erbyn hyn, dim ond 43 milltir o'r llyn dŵr croyw mwyaf a dyfnaf yn y byd. Ysbrydolodd ei harddwch y bardd Eftwshenco i droi'n ymgyrchydd amgylcheddol ac i frwydro yn erbyn y llygredd yn y llyn. Cofiaf ychydig o dwristiaid yno a thripiau ar y cychod hydroffoil. Teimlais yn gartrefol, fel petawn i wrth ymyl un o lynnoedd Cymru.

O Ircwtsc, yr oedd hi'n 893 milltir hyd at yr arhosiad nesaf, Nofosibirsc. Erbyn y tamaid hwn o'r siwrne, roeddwn wedi dysgu be oedd y gair am de, sef *tshai*, a mwy na thebyg fy mod wedi dysgu'r gair am diolch hefyd, sef *spasibo*. Nawr ac yn y man, yng ngefn gwlad, gwelid eglwysi a'u cromennau aur a phentrefi o *izbu* – tai traddodiadol Rwsia – wedi eu gwahanu gan ffensys pren a lonydd heb argoel o darmac arnynt a chodai llwch llwyd, ysgafn pan ddôi awel gan orchuddio fy wyneb. Petai rhywun yn cael gwadd i mewn i un o'r *izbi* traddodiadol, buasent yn gweld stof yng nghanol y tŷ pren. Yn aml ceir stof sydd wedi ei chynllunio fel bod posib i rywun gysgu uwch ei phen, y llecyn mwyaf cynnes ym mherfeddion gaeaf!

Roedd gan bob trên fap o'r daith ar wal y cerbyd gydag enwau lleoedd ar y ffordd wedi eu hysgrifennu mewn ysgrifen Syrilig Rwsiaidd a oedd yn annealladwy i mi ar y pryd. Er bod y dinasoedd yn debyg i'n dinasoedd ni yn y pumdegau, cefais gipolwg o'r trên ar ddynes yn cario bwcedi efo iau, a dynes arall yn edrych i fyny'n syn wrth ateb galwad natur yng ngwaelod yr ardd tra chwipiai'r trên heibio. Wrth syllu trwy ffenestr y trên gwelwn gonsgriptiaid yn codi tatws o'r pridd.

Dinas fawr yw Nofosibirsc, yn ail i Moscfa a Leningrad yn unig o ran maint. Ystyr ei henw yw Sibir Newydd ac yn rhan ohoni mae *Academgorodoc*, canolfan addysg ragorol Sibir. Roedd hi'n dal yn oes cerfluniau o Lenin a gweithwyr arwrol a gwelais hwy o gwmpas y ddinas ynghyd â phosteri yn yr iaith annealladwy. Dyma'r tro cyntaf i mi weld hyn i gyd ac roedd yn creu argraff arnaf. Ar ôl Nofosibirsc dim ond 1,746 milltir oedd ar ôl ac fe fyddwn wedi cyrraedd Moscfa, a dim ond 944 milltir at fynyddoedd yr Wral o Nofosibirsc. Yr Wrali yw'r mynyddoedd sy'n cael eu disgrifio fel y rhai sy'n rhannu Ewrop ac Asia.

O dro i dro, stopiai'r trên mewn stesion ac yno fe welwn ferched hŷn wedi'u gwisgo mewn siolau yn gwerthu tatws poeth wedi eu lapio mewn papur newydd ac aeron sur piws mewn pot jam. Unwaith, ar ôl dod allan o'r trên i gael awyr iach a cherdded tipyn bach mewn andros o stesion fawr, gyda nifer o drenau tebyg i'w gilydd, anghofiais pa drên yr oeddwn arno.

'Moscfa!' gwaeddais, 'Moscfa!'

Ond nid oedd y *profodnitsa* am adael i mi fynd ar goll. Dyna hi'n dod i'r golwg gan wenu arnaf efo'i dannedd aur a finnau'n gwenu'n ôl gyda fy nannedd arian byw. Cafodd y blew a oedd wedi codi mewn ofn ar fy ngwar ddychwelyd i'w lle a minnau wedi gadael fy mhasport a fy travellers cheques i mewn yn fy nghynfas gwely!

Er fy mod i'n gweld mynyddoedd yr Wral o'r trên, ni sylweddolais pa mor hir ydynt. Maent yn ymestyn o Fôr yr Arctig yn y gogledd i lawr i ogledd Cazacstan, pellter o tua 1,500 o filltiroedd, ond ar yr pryd, edrychwn ar y mynyddoedd gan deimlo'n reit gartrefol ar ôl y dirwedd wastad, fel petawn i'n ôl yn Eryri.

Wnes i ddim aros yn Omsc na Sferdlofsc na Perm, ond efallai fy mod i wedi aros yn Nizhnii Nofgorod. Mae gennyf lyfr wedi ei brynu yno o un o'r ciosgau. Gorci oedd enw'r dref y pryd hwnnw, ar ôl yr ysgrifennwr dewr hwnnw, Macsim Gorci. Mewn cyfnod o sensoriaeth lenyddol lem, amddiffynnodd lawer ysgrifennwr dewr arall.

Rhuthrodd y trên ymlaen fel yr oedd wedi'i wneud cymaint o weithiau o'r blaen er i'r rheilffordd agor yn 1903. Daliodd i fynd nes iddo gyrraedd Moscfa. Ar ôl cyrraedd y brifddinas, arhosais yng ngwesty'r National ar gornel Stryd Gorci, a elwir rŵan yn Stryd Tferscaia. Gyda chymorth *Intourist* roedd yr amser yn fwrlwm o fale'r Bolshoi, syrcas, cyngherdd *balalaica*, y Metro celfyddydol crand, mawsolëwm Lenin, amgueddfa'r Cremlin, Bedd y Milwr Anhysbys ac Amgueddfa Celf Gain Pwshcin.

Cychwynnai'r trên, y *Crasnaia Strela*, neu'r 'saeth goch' am bum munud i hanner nos o orsaf trên Lenigradscii ym Moscfa am Leningrad. Roedd y rheilffordd hon wedi ei chwblhau mor gynnar â 1851, y rheilffordd hwyaf yn y byd ar y pryd. Erbyn hyn, roedd yr hen locomotifau myglyd, du a'u cerbydau yn teimlo'n gyfarwydd a bron â bod yn gartrefol. Arni roedd y *cwpe, profodnitsa, samofar, podstacannic* a phaned o de Georgia. Gorweddai hen brifddinas y wlad 400 o filltiroedd i ffwrdd ger y Baltig a chefais noson o gwsg yn y *cwpe* cyn cyrraedd yno am bum munud i wyth fore trannoeth. Y bore cyntaf yn y gwesty newydd sbon ger Geneufor y Ffindir gwrthododd tap y bath gau. Ffoniais y dderbynfa ar frys a dyna ddeial y ffôn yn disgyn i ffwrdd!

Aeth y diwrnodau heibio gyda chymorth effeithlon a hyfforddiant trylwyr tywyswyr *Intourist* yn dangos cyfoeth yr hyn a oedd i'w weld yn Leningrad. Dyna'r Feudwyfa a'i thrysorau - rhan o'r Palas Gaeaf, a Phalas Catherine yn Tsarscoie Selo a oedd yn cael ei adnewyddu ar ôl dinistr gan fyddin yr Almaen yn ystod yr Ail Ryfel Byd, a Phalas Peterhof gyda'i erddi godidog, ei ffynhonnau a'i ffigyrau aur. Roedd cyfle i weld bale cwmni'r Cirof, i fwyta cafiar y stwrsiwn druan a oedd yn dechrau diflannu oherwydd gorbysgota a llygredd, ac i flasu siampaen. I Tsarscoie Selo (Tref y Tsar) y rhedai'r rheilffordd gyhoeddus gyntaf yn Rwsia yn 1837, deng milltir o drac yn rhedeg yno o St Pedrbwrg ac ymlaen wedyn i balas Paflofsc. Ond, er cymaint rwyf yn mwynhau celfyddyd a phensaernïaeth a lliw, y pleser mwyaf gennyf oedd cerdded ymysg coed, parciau'r palasau, gwrando ar yr adar mân, edrych allan am y Môr Baltig, arogleuo'r heli , ac yfed te!

Wrth ddychwelyd yn ôl i Moscfa, arhosais yng ngwesty newydd y Cosmos a gafodd ei adeiladu'n arbennig ar gyfer y Gemau Olympaidd. Gyferbyn â'r gwesty gwelwn, wrth y mynediad i'r Ganolfan Llwyddiannau

Economaidd Genedlaethol, obelisg anferth i goffáu'r cosmonotiaid. Llithrodd yr amser wedyn. Dim ond tua 1,371 o filltiroedd i Rotterdam rŵan. Roedd rhaid dal y trên o orsaf Belorwsci am Warsaw trwy Brest a Minsc. Er gwaethaf y lifrau milwrol, nid oeddwn wedi bod yn ymwybodol o'r Rhyfel Oer tan hynny. Heb fod ymhell o Wal Berlin, daeth milwyr ar y trên i archwilio'r teithwyr a phenderfynasant wasgu fy mhast dannedd allan o'i diwb a thorri fy sebon yn ddarnau mân! Gwelwn y Wal o'r trên gyda'i weiren bigog a'i thyrrau a'i goleuadau. Edrychai i mi fel tyrrau mewn hen ffilm ryfel o wersylloedd carcharorion. Yna o'r Hook of Holland croesodd y fferi i Harwich, a thrên o'r fan honno i Lundain. Dim ond 265 o filltiroedd i Fangor ar drên yr 'Irish Mail' o Euston wedyn ac roedd y siwrne drosodd.

Erbyn i'r trên gyrraedd Bangor, roedd fy mhen yn llawn argraffiadau o'r siwrne ac roeddwn wedi gorffen darllen fy llyfr Oscar Wilde clawr papur, trwchus. Ymhen llai na dwy flynedd wedi hynny roeddwn yn astudio Rwsieg.

Cerfluniau aur gerddi Palas Petergoff

Mynd yn ôl

Yn 1984 dychwelais i Rwsia. Efallai mai'r daith honno adref o Awstralia ar y trên a'm hysbrydolodd neu, fel y dywedodd un neu ddau o gangen Scandinafaidd fy nheulu flynyddoedd wedyn, fy mod wedi etifeddu rhyw ddyhead i ddychwelyd. Pob hyn a hyn dros y blynyddoedd canlynol, cododd cyfle i ddychwelyd i'r wlad – mwy o baneidiau te, cipolwg ar newid, geiriau newydd i'w dysgu wrth i'r cyfnod Sofietaidd ddod i ben: *glasnost, perestroica, bisnesmen.*

Tyfodd casgliad o nodiadau helaeth er mwyn cofio geirfa, profiadau, pobl a chyfeillgarwch, a rheini'n aml wedi cael eu ffurfio dros baneidiau. Mae dysgu iaith yn un o'r gweithgareddau gydol bywyd yna sy'n medru mynd a dod, codi berf ychwanegol fan hyn, sylwi ar ffurf ddiddorol o ddefnydd ôl-ddodiad fan acw, darganfod bod Rwsieg efo ambell air yn gyffredin â'r Saesneg, gan gynnwys y rhai sydd â gwreiddiau Scandinafiaidd, a seiniau yn gyffredin â'r Gymraeg. Nid dyma'r iaith orau i'w dysgu os nad ydych yn hoff o dywydd oer, roedd yn well gennyf dywydd cynnes Awstralia. Mae'r tymheredd ym Moscfa yn medru disgyn cyn ised â 42C, ond eto roedd rhywbeth yn fy nenu.

Ac er nad ydw i'n hoff o dywydd oer, cefais fy hun hefyd, yn ddiweddarach, yn ymweld â chyfnither fy mam yng ngogledd Norwy, rai blynyddoedd wedi i mi fod yn teithio yn Rwsia ac astudio Rwsieg. Nid yw'n daith hir o Gymru, dim ond ychydig o oriau ar drên ac awyren ac mae rhywun yno, ym maes awyr Oslo – Torp. Mae'n swnio fel petai'n agos at Oslo, prifddinas Norwy, ond mae yna ddwy awr o daith ychwanegol mewn bws i gyrraedd Oslo. Ac o Oslo mae yna nifer o oriau ar drên i'r gogledd trwy rewlifoedd gwyn a gwyrddlas Norwy ar reilffordd odidog *Flåm* i gyrraedd tŷ fy mherthynas.

Dynes fywiog a chlir ei meddwl yw Mari, yn naw deg saith ac yn dal i fedru byw yn rhannol annibynnol. Mae ei fflat yn lân ac yn dwt ac wedi ei dodrefnu â dodrefn cain, gydag un o ddarluniau tirwedd ei thaid – fy hen, hen daid i – yn hongian ar y wal. Mae ganddi drysor o straeon am y teulu i'w hadrodd wrthyf ac eisteddais yno'n gwyro ymlaen cyn agosed ati i wrando fel fy mod bron â disgyn wrth ei thraed.

Llifai ei hanesion ohoni dros baned a theisen. Wrth iddi siarad daw cipolwg o'r ddynes ifanc y bu unwaith. Dywedodd wrthyf am yr adeg yr oedd hi wedi cael ei gyrru yn hogan ifanc i weithio mewn meithrinfa plant Sami. Pobl gynhenid y Gogledd yw'r Sami, gyda mwy na'u hanner yn byw yn Norwy. Nid oedd ganddi awydd priodi a dyna'r math o swyddi oedd ar gael ar ei chyfer. Doeddwn i ddim wedi sylweddoli bod y llywodraeth wedi annog teuluoedd Sami i roi'r gorau i'w bywyd nomadig. Meddyliais am y teulu o bobl gynhenid a ddaethai a'u plentyn i'r feithrinfa yr oeddwn yn gweithio ynddi yn Awstralia. Mae'r dull nomadig o fyw yn rhedeg yn groes i brynu a gwerthu tir. I Mari a finnau cyfle i wella cyfleoedd addysg a gwella amodau byw'r plant oedd y bwriad. Nid oedd y naill na'r llall ohonom wedi sylweddoli sut yr oeddem yn rhan o ddinistr diwylliant, iaith a ffordd o fyw.

Mari

Siaradai â fi am fy nhaid. 'Yr oedd yn ieithydd,' meddai Mari, 'yn siarad pum neu chwe iaith'. Dywedodd aelod arall o'r teulu yno mai'r iaith nesaf yr oedd fy nhaid eisiau ei hastudio oedd Rwsieg a theimlais ias oer ar fy ngwegil.

Nid oedd Mari ei hun yn annhebyg i un o'r Sami gyda'i chroen golau a'i bochau pinc. Meddyliais amdanynt, yn dilyn eu ceirw trwy oerni gogledd pell Norwy, Sweden, y Ffindir a Rwsia, yn siarad eu hiaith Ffinno-Iwgric, teulu ieithyddol y Ffindir a Hwngari sy'n dod o Wralic. Siaradai Mari â fi wedyn am sut y byddai fy hen daid yn mynd ar ei sled dros yr eira. Dywedai ei fod yn mynd i ogledd y wlad yn aml gyda'i gŵn a theimlais ias oer arall wrth wrando arni. Ym mherfeddion gaeafau bwthyn fy mhlentyndod, a finnau ar y pryd yn gwybod dim am fy hen daid, arferwn freuddwydio yn fy ngwely rhynllyd fy mod i'n gyrru sled trwy eira mân. Roeddwn yn rhuthro dros rew caled gyda llwch eira yn rhewi mêr fy esgyrn. Cefais y freuddwyd mor aml nes i mi geisio dychmygu fy mod i wedi fy lapio yn ffwr cynnes rhyw anifail cyn cysgu, gan obeithio fod hynny'n digwydd yn y freuddwyd. Ond na, rhewi'n gorcyn unwaith eto yr oeddwn i wrth edrych ar gynffonnau a phenolau'r cŵn a oedd yn ei thynnu.

Clywais ambell sibrwd tra'r oeddwn i'n blentyn: 'Mae gennyt groen Scandinafaidd,' meddai modryb i mi. Ond na, croen a chorff teulu ochr fy nhad sydd gennyf, dipyn bach yn frown, yn fychan a thenau. Edrychai nifer o deulu fy nhad fel Eidalwyr bron. Fy ffansi oedd mai disgynyddion caethweision y Rhufeiniaid oeddynt, efo'u gwalltiau du a'u sglein copr, wedi dod i Gymru yn yr oes honno i fwyngloddio'r mwynau. Roedd fy nhad, fel finnau, angen yr haul ar ei esgyrn, fel petai yna ddim digon o haul ar gyfer ei gorff yn hinsawdd Cymru. Siaradai efo fi yn Saesneg, iaith yr oedd o wedi ei dysgu ym mrwydro gwaedlyd, budr yr Ail Ryfel Byd, gydag acen gref Gymraeg: '*This is very interested you know*,' oedd un o'i berlau, ac '*I'm going to get some* plwm' am y gair '*lead*'. Eisteddem gyda'n gilydd yn yfed te. Golygai yfed te efo fy nhad eistedd yn siarad am bob dim a dim byd, siarad, rhwng y bylchau neu sipian te yn ddistaw, mewn gwacter llawn ysbrydion.

Wn i ddim a oes rhywbeth yn ein genynnau sy'n ein gyrru, ynteu cyfres o hap a damweiniau yw bywyd. Dywedai un perthynas wrthyf, gan edrych i fyw fy llygaid fel petai o'n shaman Sami, fod gan rhai yn y teulu ryw synnwyr arall, rhyw chweched synnwyr. Nid oeddwn yn hoff o'r syniad hwnnw o gwbl. Teimlwn fel petai o'n dweud wrthyf na chafodd fy nhaid amser i astudio Rwsieg yn ystod ei oes o a'm bod i'n cyflawni ei ddymuniad, ei uchelgais – a hynny bron heb i mi ddewis gwneud hynny. Roeddwn yn teimlo llawer mwy cyfforddus gyda chred fy nhad. I fy nhad, caib oedd caib, rhaw oedd rhaw a phridd oedd pridd. Mae gen i lun sepia o fy nhaid ar ochr fy mam yn eistedd mewn cylch, fel petai o mewn *seance*. Mae o fel petai o'n syllu arna i gydag edrychiad uniongyrchol, tawel . Mae rhan ohonof bron yn credu ei fod o'n ceisio cysylltu gydag ysbrydion yn y dyfodol, yn hytrach na chydag aelodau'r teulu yn y gorffennol. Nid yw mewn *seance* go iawn. Y fo yw pob un o'r pump sy'n eistedd mewn cylch. Mae'r darlun yr union un portread ag un o'r artist Ffrengig Marcel Duchamp a dynnwyd gan ffotograffydd anhysbys yn America yn 1917. Yr unig wahaniaeth amlwg rhwng y ddau lun yw yn y llygaid – yn hytrach nag edrych arnaf, mae llygaid Marcel Duchamp yn edrych i ffwrdd at rywbeth anweladwy. I Duchamp, yr oedd y darlun yn rhan o'i ymchwil i mewn i natur amrywiol hunaniaeth bersonol[2]. Mae rhywbeth yn hyn sy'n taro nodyn ynof ac rwyf yn ceisio

dyfalu os mai rhywbeth i wneud â'm gwreiddiau diwylliannol cymysg fy hun ydyw, neu angen mewnol i wneud synnwyr o fy hunaniaeth fy hun.

Fy nhaid

2 Gweler gwefan National Portrait Gallery, Smithsonian, Donald W. Reynolds Center for American Art and Portraiture, *npg.si.edu*

Bu'n rhaid i mi ymchwilio i dull y cafodd y llun ei dynnu[3]. Ni chefais i erioed y cyfle i ofyn i fy nhaid. Wnes i erioed ei gyfarfod. A chan i mi golli fy mam yn ifanc, doeddwn i heb glywed unrhyw straeon am yr ieithydd â'i fryd ar ddysgu Rwsieg a'r cŵn yn tynnu ei sled yn yr oerfel nes i Mari ddweud wrtha i.

Ac eto, er mor od y cyd-ddigwyddiad, mwy na thebyg mai'r gwir reswm dros ddychwelyd oedd un o'r damweiniau hynny sy'n deillio o ddiffyg gwneud penderfyniad a hynny'n arwain at gyfnod hir o astudio Rwsieg.

Y flwyddyn y gadewais Loegr a Chymru, roedd hi'n adeg llawn gwrthdrawiadau ac ymgyrchu. Dyna adeg diweithdra oherwydd dirwasgiad, streic y glowyr, myfyrwyr yn gwrthryfela yn erbyn toriadau grantiau, ymgyrchu yn erbyn ynni niwclear ac ymgyrchu i ryddhau Nelson Mandela o garchar oherwydd polisi *apartheid* De Affrica. Yng Nghymru, roedd Gwynfor Evans, gŵr mwyn, heddychlon, yn ymprydio oherwydd i Margaret Thatcher dorri ei haddewid ar gyfer sicrhau sianel deledu yn yr iaith Gymraeg. Yn y dinasoedd mawrion gwelwyd heddlu ar geffylau gyda phastynau a thariannau.

Pacio'r siwtces a gadael hyn i gyd oedd raid. Er mwyn astudio Rwsieg roedd angen dal awyren i Foscfa, mynd trwy dollfa filwrol y Rhyfel Oer yn y maes awyr, cael y bws llawn myfyrwyr i neuadd y coleg a dadbacio. Ymlwybrai'r bws, gyda'i lwyth o fyfyrwyr, a minnau yn eu plith, rhwng gwyrddni gwair a choed, heibio ambell gar bach Lada a hen lorïau trymion. Yng ngwaelod fy siwtces gorweddai fy nghopi o'r *Blue Guide to Moscow and Leningrad*. Argymhelliad fy narlithwyr oedd prynu'r gyfrol honno o waith Evan a Margaret Mawdsley. Cafodd ei gyhoeddi'r un amser â Gemau Olympaidd 1980 ym Moscfa er mwyn rhoi cymaint o annibyniaeth a mwynhad i'r ymwelydd â phosib.

Y tro hwn roeddwn yn bell o ganol y ddinas. Roedd y coleg a'i neuadd rhyw filltir o ddiwedd y lein Fetro yng nghanol blociau o fflatiau uchel di-liw a digymeriad. Cerddais o'i gwmpas o dro i dro gan feddwl y

---

3 Os defnyddiodd yr un dechneg â Marcel Duchamp, cafodd y llun pum ffordd ei greu trwy eistedd o flaen drych gyda cholfachau. Daeth y dechneg yn boblogaidd ar ddiwedd y bedwaredd ganrif ar bymtheg ac roedd ar gael mewn stiwdios ffotograffwyr a pharciau difyrrwch yn America.

buaswn yn medru bod yn unrhyw le yn Ewrop. Gorweddai'r anialwch o fflatiau uchel fel gorchudd dros lu o bentrefi, ffermydd a thai mud. Nid oeddwn wedi gweld unrhyw dystiolaeth o'u bodolaeth cynt.

Dyma ardal y ffilm gomedi *Ironi Ffawd* Mosfilm[4], un o gynyrchiadau teledu mwyaf poblogaidd Rwsia. Trwy anffawd mae'r prif gymeriad, Zhenia Lwcashin (rhan wedi ei chwarae gan Andrei Miagcof), yn darganfod ei hun mewn dinas arall gan feddwl ei fod yn mynd adre i'w fflat ei hun. Yno mae'r un enw stryd, yr un adeilad, yr un drws ffrynt a hyd yn oed, yr un goriad iddo! Druan o'r penseiri a'u hymdrechion i ddylunio adeiladau hardd, a'r cyfrifwyr yn mynnu bod costau'n cael eu torri! Mae'r ffilm yn ymgorffori'r penbleth hwnnw a oedd yn gymaint rhan o ymdrechion ailadeiladu cartrefi yn sgil yr Ail Ryfel Byd, yn Ewrop, Prydain a Rwsia'r pumdegau – hynny yw, cost yn erbyn dylunio esthetig.

Yr oedd y bws a oedd yn fy ngchario wedi stopio y tu allan i adeilad felly, adeilad uchel undonog, plaen. Cerddais i mewn i'r adeilad uchel yn gafael yn fy siwtces trwm. Nid oedd y lifft yn gweithio. Pa un oedd fy ystafell i? Ystafell ar lawr 13. Fel basa Pollyanna[5] yn dweud wrth chwarae'r 'Glad game', o leiaf yr oedd yna risiau. Ac i fyny â fi, un gris ar y tro – un, dau, tri . . .

Ystafell fechan gynnes gyda dau wely sengl oedd yn disgwyl amdanaf, cwpwrdd bach rhyngddynt ac arno ddwy gwpan de a soser, paced o ddail te, dwy lwy a theclyn bach i gynhesu dŵr mewn cwpan. Roedd y blanced liwgar, wlân ar y gwely wedi cael ei rhoi i mewn i gynfas a oedd yn cau o'i chwmpas. Wrth ben y gwely, yn sownd yn y wal, roedd radio fechan a oedd ymlaen trwy gydol yr amser. Nid oedd posib ei diffodd yn gyfan gwbl. Roedd yn chwarae cerddoriaeth werin draddodiadol o wahanol rannau o'r Undeb Sofietaidd. Yr oedd fy nghlustog yn un gyfforddus, reit fawr, siâp sgwâr.

Roedd yna ddau gwpwrdd dillad ac ystafell ymolchi efo bath bach

---

4 *Ironia Swdbu*, ffilm Sofiet sy'n gomedi ramant. Eldar Riazanov ac Emil Braginsci, 1976.

5 *Pollyanna* gan Eleanor H. Porter. Nofel Americanaidd, 1913. Mae gan y prif gymeriad rinwedd optimistaidd iawn, mor optimistaidd fel mae'n bosib dadlai petai Oliver Twist wedi bod o'r un feddwl, buasai wedi bod yn ddiolchgar cael uwd o gwbl!

heb blwg i atal y dŵr rhag llifo, peipiau haearn yn cario dŵr poeth uwch fy mhen, a ddaeth yn ddefnyddiol i hongian dillad i'w sychu, a sinc fach a'r tap dŵr poeth yn rhedeg yn boeth bob amser. Ar ôl edrych o gwmpas, mi wnes i be dwi'n tueddu ei wneud pan dwi angen teimlad o lonyddwch – gwneud paned o de.

Gafaelais yn y paced o de gan deimlo'r dail trwy'r papur lapio tenau, meddal. Clywn ei arogl melys bron heb ei roi wrth fy ffroenau. Darllenais yr ysgrifen Syrilig arno. *Grwzinsci chai* - Te Georgia. Fedrwn i ddim darllen yr ysgrifen arall, ysgrifen Georgia. Anodd credu mai yno y magwyd y Stalin dienaid, a'i fod wedi cael addysg mewn coleg offeiriadol. Dyma wlad sy'n gorwedd rhwng Môr Caspia a'r Môr Du, lle mae'r hinsawdd yn gynnes, ei mynyddoedd yn ymestyn at y cymylau, gwlad te a gwin a bwyd blasus. Fel yng Nghymru, te yw paned y Rwsiaid i roi'r byd yn ei le, ac yn Georgia yr oedd holl de yr Undeb Sofietaidd yn cael ei dyfu.

Dyna ddefnyddio'r teclyn bach trydanol i gynhesu'r dŵr mewn cwpan, agor y paced i arogl cynyddol hyfryd y dail a tharo llwyaid fach ohonynt i mewn i'r dŵr poeth a'u gadael i sefyll am ychydig nes i'r dail suddo i waelod y cwpan.

Pan gyrhaeddodd Lena, deiliad y gwely arall i'r ystafell, dyna lle'r oeddwn, wedi ymgartrefu ac wrthi'n gwneud te. Dyna rannu paned, rhannu geiriau, rhannu ychydig bach o hanes ein gilydd, hithau'n fam ac yn ferch, y ddwy ohonom yng nghanol ein dauddegau. Un o Charcof oedd Lena, yn yr Wcráin. Bellach fe newidiwyd un llythyren yn enw'r dref, o Charc*of* i Charc*íf*. Y gair 'Wcráin' yn golygu 'wrth y ffin' mewn Rwsieg, y sain 'W' yn golygu 'wrth', a'r gair 'crai' yn golygu 'ffin'.

Roeddwn wedi bod mor falch o'm cytseiniaid Cymraeg wrth astudio Rwsieg dros y ddwy flynedd flaenorol. Nid oeddwn yn cael trafferthion wrth ynganu'r sain 'ch' ac 'r' a'r cytseiniaid clir eraill. Mantais arall oedd ei bod, fel Cymraeg, yn iaith ffonetig. Dipyn haws na darllen Saesneg neu Ffrangeg o'r newydd a cheisio dyfalu sut i seinio llythrennau fel '*gh*' yn y Saesneg! I feddwl gorfod dysgu sut i ddweud y gwahaniaeth rhwng ynganu geiriau fel '*though*' a '*tough*' yn Saesneg!

Wrth ddechrau astudio Rwsieg roedd y rhan fwyaf o'r wyddor yn edrych fel symbolau egsotig dieithr i mi. Dyna ddarganfod bod yna ddau ddeg pedwar llythyren o'r iaith Roeg wedi eu gosod yn nhrefn yr wyddor Ladin fel y Gymraeg. Ychwanegwyd pum cytsain ychwanegol gan y mynach Bysantaidd , Cyril, ac mae'r wyddor Syrilig yn gyflawn.

Rwyf yn hoff o ddau arwydd bychan a geir ynddi, yr un a elwir yr arwydd meddal - 'ь' a'r arwydd caled 'ъ'. Mae un yn meddalu a'r llall yn cryfhau sŵn y llythyren flaenorol, yn gerddorol bron. Er syndod i mi, mae strwythur gramadegol yr iaith yn dilyn patrwm Lladin, fel Almaeneg.

Roedd rhaid imi ddysgu ei chwech chas gramadegol er mwyn i mi ddweud hyd yn oed enwau pobol yn iawn. Waeth imi heb a dweud 'Anna', os oeddwn i fod i ddweud 'Anne', na 'Ifan' os oeddwn i fod i ddweud 'Ifanw'. Y cyd-destun gramadegol yw popeth!

Dwi ddim yn cofio Lena yn siarad iaith Wcráin. Efallai ei bod hi wedi gwneud ar adegau. Roeddwn yn eistedd mewn bwyty yn Cief rhywdro yn 1985 yn mwynhau fy mlas cyntaf erioed o 'Chicken Kiev' pan sylwais fod y gair 'bara' yr un fath yn Wcreineg ag yr oedd mewn Rwsieg. Flynyddoedd wedyn sylwais fod prynhawn da, siop, brawd, chwaer, merch, mab a beic, er enghraifft, yr un fath. Wrth agosáu at ffin gwlad Pwyl daw dylanwadau Pwyleg ar iaith Wcráin yn fwy amlwg, ac yn arwydd o'r cyfnod pan oedd y grym hwnnw'n teyrnasu dros y tir.

Yn fwy diweddar darganfyddais fod yna rai geiriau'n gyffredin rhwng Rwsieg a Phwyleg. Mae'r gair am 'tŷ' – 'dom' er enghraifft, yr un fath yn y ddwy iaith, a'r gair Rwsieg am ben – 'golofa' yn debyg iawn – 'glowa'. Yn wahanol i Rwsieg, mae system ysgrifennu Pwyleg wedi ei seilio ar lythrennau Lladin a chrefydd y wlad yn Gatholig yn bennaf; nid felly system ysgrifennu a thraddodiadau crefyddol Eglwys Uniongred Wcráin a Rwsia.

Gofynnais i gyfnither i mi am y gwahaniaeth rhwng Norwyeg a Daneg. Maent yn agos iawn meddai, ddim yn annhebyg i sefyllfa ieithoedd Wcráin a Rwsia efallai. Hen Norwyeg oedd gwraidd Daneg. Nid pob iaith sydd mor wahanol i'w chymydog.

Ond darganfyddais fod *Cartuli* – iaith Georgia, gwlad y te – yn hollol wahanol. Nid yw'n perthyn i'r teulu Indo-Ewropeaidd fel Rwsieg, Wcraineg, Norwyeg a Chymraeg, nag i unrhyw deulu ieithyddol arall chwaith, ond yn hytrach mae'n unigryw i Georgia. I bobl Georgia, nid dyna yw enw'r wlad, ond *Sacartfelo*. Wrth feddwl am deuluoedd ieithyddol, efallai mai dyna ydynt, ieithoedd teuluoedd nomadig yn dilyn eu llwybrau hwy yn hytrach na llinellau ar fap.

Mi wnes i fwynhau rhannu ystafell efo Lena addfwyn – druan ohoni, yn poeni am ei mam a'i merch yn Charcof. Doedd dim sôn am ŵr na thad, ac mi oedd hithau'n ferch eiddil ac yn edrych fel petai'r byd yn gorwedd ar ei hysgwyddau. Nid oeddwn i eisiau priodi a chael plant y pryd hwnnw. Meddyliais fod y cam hwnnw'n gyfystyr â chael fy nghlymu i sinc y gegin a mynydd o lwch a golchi. Doeddwn i ddim isio glanhau bob dydd yn ogystal ag ennill ceiniog, a'r cyflog hwnnw'n dipyn llai na chyflog dynion rhan amlaf. Doeddwn i ddim yn ymwybodol fy mod i'n meddwl yn glir felly, ond dyna'r teimladau a oedd ynof yn rhywle. I mi roedd bywyd dyn, yn aml, yn llawer mwy diddorol. Ond dolur i'm calon yw meddwl am brofiadau rheini mewn rhyfel.

Llyfr barddoniaeth Wsbec yn Rwsieg, anrheg gan Katia

P'run bynnag, dyna lle'r oedd Lena a finnau yn ein hystafell yn neuadd y coleg, Lena wrthi ar yr astudiaethau sych ar gyfer ei harholiad gwyddoniaeth Farcsaidd–Leninaidd y gweithiai mor galed arno, a finnau'n llafurio dros eirfa a gramadeg Rwsieg. Deuai'r rhan fwyaf o'r myfyrwyr eraill o Afghanistan, Gwlad Pwyl, Ciwba, Fietnam, Mali a gwledydd eraill lle'r oedd sffêr dylanwad Rwsia'r cyfnod hwnnw – tua mil ohonom mewn coleg ym Moscfa yn straffaglu gyda'n Rwsieg acennog yn ceisio deall ein gilydd. Iddynt hwy, roedd Rwsia yn wlad gyfoethog, i mi roedd hi'n wlad gymharol dlawd. Cymysgem fel lobscows, gweithiai pawb yn galed ar ddysgu Rwsieg, fel petaent yng Nghymru yn ystod y 'Welsh Not' yn dysgu rhyw iaith a oedd am fynd â nhw yn eu blaenau yn y byd.

Fel yr aeth yr amser heibio, arferwn deithio ar y Sul i ffiniau allanol Moscfa i helpu gyda gofal plentyn teulu bach yn Peredelcino, Tref yr Ysgrifenwyr a sefydlwyd trwy ddylanwad yr ysgrifennwr rhyfeddol hwnnw, Macsim Gorci. Nid fflatiau uchel oedd yma ond tai pren deniadol gwledig, rhan o stad perthnasau Pedr Fawr. Roedd y rhain yn fwy deniadol na thai pren y pentrefi ar hyd rheilffordd y Traws–Sibir ond heb fod yn annhebyg i dai gwledig Norwy y byddwn yn eu gweld cymaint o flynyddoedd wedyn.

M. Gorci

A dyna pa bryd, dwi'n meddwl, y tybiais mai cymysgedd o bobl croen golau'r Gogledd oer gyda phobl fwy dwyreiniol yr hinsawdd gynnes oedd y Rwsiaid. A rheini wedi golchi fel ton dros y bobl ddwyreiniol yr oeddwn wedi eu gweld o'r trên ac wedi cymysgu efo nhw. Y gorllewin yn disgyn mewn cariad â'r dwyrain, cymysgfa anthropolegol o bobl trwy ryfel a chariad a phatrymau gwreiddio, pobl sy'n gwrthod cael eu cyfyngu gan linell ar fap.

Ar y ffordd i
Gomiwnyddiaeth
a'r gofod

Cynefino

Людей - Евгений Евтушенко
Людей неинтересных в мире нет.
Их судьбы как истории планет
У каждой все особое, свое,
и нет планет, похожих на нее.
(....)
И если умирает человек,
(......)
Все это забирает он с собой.

'Pobl'
gan Efgenii Eftwshenco[6]
Ni oes yna bobl anniddorol,
Mae ffawd pob un fel hanes planed,
Pob un yn unigryw
Ac nid oes planed debyg iddo.
[.....]
Nid pobl sy'n marw ,
Ond eu bydoedd, yn hytrach, sy'n dod i ben.

Am beth od yw cynefino, fel petai hedyn bach yn cael ei chwythu gan y gwynt i geisio addasu ac ymgartrefu mewn pridd sy'n ffafriol neu'n anffafriol. Roeddwn yn cael pryd anferth o gyw iâr a llysiau yn nhŷ coed Norwyaidd fy nghyfnither, gyda gwydriad o sudd llugaeron cartref o'r jwg anferth ar y bwrdd. 'Welwn i mo rhain yng Nghymru, aeron yr

6 'Pobl' gan Efgeni Eftwshenco, 1961

hinsoddau oer. Cofiais y rhai a brynais yn y potyn gwydr hwnnw ddegawdau ynghynt gan wreigan ar orsaf yn Sibir. Bwyteais y peli piws sur gyda llwy de, gan edrych trwy ffenest y trên ar y coedwigoedd bedw diddiwedd yn ymestyn cyn belled ag y gwelwn. Gorweddai gweddillion rhew y gaeaf fel cymylau bach gwyn yn ymdoddi'n araf i'r ddaear.

Yn awr eisteddai Mari, cyfnither fy mam, wrth ben y bwrdd. Edrychai'n urddasol ac ymhell o fod yn agos at ei chant. Siaradai am fy nhaid yn dychwelyd adref ar ôl y Rhyfel Byd Cyntaf, yn ddyn ifanc, a fy nain, ei briod newydd, gydag ef. Mae gennyf lun ohono'n sgio efo ffrind, wedi ei dynnu tua'r adeg honno, dau silwét tywyll yn erbyn gwyn yr eira. Pan edrychaf yn fanwl ar y llun, gwelaf mai dim ond un goes sydd ganddo, y llall wedi ei cholli ym mrwydr y Somme yn Ffrainc rywdro rhwng Gorffennaf a Thachwedd 1916.

'Roedd dy nain yn dlws,' meddai Mari, 'ac yn gwisgo ffrog goch hardd a'r merched lleol i gyd yn rhyfeddu ati.' Digon o waith bod fy nain yn medru sgio, ddim mwy na finnau. Ys gwn i a oedd ganddi ddigon o ddillad ar gyfer y tywydd oer? Doedd ganddi ddim gair o Norwyeg, beth bynnag, a hithau angen magu plant.

Ym Moscfa yn ystod y gaeaf caled hwnnw, bobl yn heidio i sgio a sglefrio a finnau'n pigo cerdded ar y pafin gyda fy Rwsieg llawn tyllau a chroen fy wyneb yn llosgi'n goch gan yr oerfel. Ond pan gyrhaeddais, nid oedd yr eira wedi disgyn eto. Roeddwn yn dal i ddod i arfer efo fy ystafell ac yn sbecian o gwmpas llawr 13. Wrth edrych trwy'r ffenest welwn i ddim ond y fflatiau uchel a'r stryd.

Y tu allan i ddrws fy ystafell roedd y coridor a redai i gyfeiriad y lifft. Ger y lifft roedd yna ddesg lle eisteddai dynes ar ddyletswydd trwy'r dydd a thrwy'r nos. Y gair amdani oedd *dezhwrnaia*. Roeddwn i eisoes wedi cyfarfod a nifer o *dezhwrnaia* yn y wlad. Rhedai coridorau eraill i'r chwith ar dde o'r ddesg a rheini efo rhesi o ddrysau ystafelloedd tebyg i'm hystafell innau. Ger desg y *dezhwrnaia* roedd soffa a hen deledu lle roeddwn i edrych ar ambell hen ffilm ramantus ddu a gwyn.

Digon o waith fy mod i eisiau bwyd y noson gyntaf honno. Yn bur debyg, roeddwn wedi bwyta ar yr awyren. Cwsg oeddwn i ei angen yn bennaf. Roedd y gwely'n gyfforddus. Trodd Lena nobyn y radio reit i lawr fel nad oedd posib i ni ei chlywed. Roedd yr ystafell mor boeth nes i mi sticio fy nhraed allan o waelod y blanced. Cysgais yn drwm gan godi rhyw unwaith i fynd i'r toiled. Gwelais lu o bryfed yn rhedeg i guddio wrth i mi droi'r golau ymlaen. Roeddynt yn amrywiol, rhai ohonynt yn lliw aur fel y cwpolau hardd siâp nionyn. Yn y bore roedd fy nhraed wedi eu haddurno â lympiau bach coslyd, coch.

Yn fuan iawn roeddwn wedi sylwi fod y profiad o fod yn fyfyrwraig ym Moscfa yn dra gwahanol i fod yn ymwelydd. Roedd bwyd yn brin, y dirwasgiad yn cael effaith ar yr economi yno yn ogystal ag ar Brydain yr oeddwn newydd ymadael â hi. Bwyd yn brin neu beidio, yr oeddwn i gael brecwast o *casha* gyda gwydriad o *ceffir* neu *smetana* yn ffreutur y coleg yn ddi-ffael. Uwd oedd *casha* wedi ei wneud o wenith yr hydd, cnwd efo blas tebyg i anis. Nid wyf yn cofio ei fwyta na chynt na chwedyn. Coginiwyd y *casha* mewn dŵr ac wedyn roedd lwmpyn o fenyn yn cael ei ychwanegu iddo yn y bowlen. Mi ddois yn hoff iawn o *ceffir*, cymysgfa o laeth enwyn a hufen sengl. Gwell byth oedd *smetana*, cymysgfa o laeth enwyn a hufen dwbl.

Nid wyf yn meddwl fod yna wersi'n syth bin y diwrnod cyntaf ar ôl i mi gyrraedd. Credaf fy mod i wedi mynd i'r ffreutur a darganfod y ciwiau hir arferol am ginio canol dydd a'r bwyd yn darfod. Yswn i fynd o gwmpas y ddinas beth bynnag i grwydro a dod i nabod y cynefin a dechrau ymgartrefu. Roeddwn yn ddigon hapus cael antur fach wrth chwilio am rywle arall i fwyta ac roeddwn angen prynu rhyw fân bethau a chael arbrofi fy Rwsieg bratiog.

Sefais wrth arhosfan bws y tu allan i'r coleg yng nghanol y fflatiau tal, undonog, di-liw. Daeth y bws yn ddigon sydyn, telais fy mhump *copec* i fynd â mi at y Metro. O dalu pump *copec* arall, a oedd y pryd hwnnw yn cyfateb i bum ceiniog, cawn fynd i rywle ar y Metro. I gyfeiriad canol y ddinas â fi. Llithrais gyda'r iaith ac es ar goll yn y strydoedd ond cefais hyd i farchnad breifat. Caniatawyd ychydig o dir i bobl wledig gan y Wladwriaeth i dyfu cynnyrch. Cerddais i mewn ac yno roedd merched a'u cynnyrch, gyda siolau dros eu cotiau a phawb gydag ôl y pridd a chyswllt â natur yn eu nodweddu.

Yno roedd ffrwyth eu llafur, y tyfiant o'r pridd yn amlwg: madarch

Barddoniaeth Wsbec

lliw hufen yn hongian mewn rhesi ar linynnau, gwydrau coch a phiws llawn llugaeron sur, caws meddal lliw eira a'i oglau fel llefrith cynnes ffres o'r fron, menyn lliw'r haul, afalau melynwyn wedi eu chwyddo'n loyw gyda dŵr hallt. Teimlwn fel petawn i wedi cerdded i mewn i'r oes o'r blaen, i mewn i nofel gan Sholochof neu Gorci. Doedd hyn ddim byd tebyg i'r siopau gwladwriaethol llwm a oedd bron yn wag.

Edrychais ar ellygen, roeddwn yn ysu am ffrwythau ond roeddynt yn anhygoel o ddrud – pum rwbl am bedair, traean o fy incwm wythnosol. Edrychai ffrwythau a llysiau'r farchnad fel petai'n nhw wedi goroesi'r elfennau, y rhan fwyaf ohonynt yn fychan gyda chreithiau, nid fel y rhai blas dŵr perffaith eu golwg sydd ar gael yn ein harchfarchnadoedd ni bellach. Cofiais gael afal dan chwerthin gan hen wreigan mewn marchnad breifat ger y rheilffordd ym mhellafoedd Sibir. Heb air o Rwsieg ar y pryd, cynigais *gopeci*, ond cefais yr afal am ddim gan y wreigan dlawd, hael. Er creithiau'r afal bychan roedd y blas yn werth chweil.

Gwyddwn fod chwilota am fadarch a chyffeithio a chadw bwyd er mwyn cynnal pobl dros y gaeaf yn anghenrheidiol. Er mwyn cadw madarch i'w defnyddio fel y mynnent, roeddent yn eu sychu gyda chlwt tamp i gael gwared ag unrhyw bridd a thynnu'r coesau a'r croen os oedd angen. Yna, byddent yn eu gosod ar bapur brown yn yr haul am ddau neu dri diwrnod, gan ddod â nhw i mewn yn y nos a rhoi mwslin drostynt rhag pryfaid, a'u troi nhw drosodd o dro i dro. Unwaith eu bod yn sych, byddent yn rhoi llinyn trwyddynt a'u hongian eto yn yr haul neu mewn ystafell gyda digon o ffenestri agored nes eu bod nhw'n hollol sych. Wedyn, eu rhoi mewn potiau gwydr aerglos. I'w defnyddio, byddent yn arllwys dŵr cynnes drostynt am hanner awr nes iddynt chwyddo'n ôl i'w maint arferol.

Penderfynais brynu tamaid bach o gaws cartref er gwaethaf ei bris uchel a mentro defnyddio fy Rwsieg gorau i dalu gofalwraig y stondin. Roedd y wreigan, fel ei chyfeillion, yn edrych fel petai'r elfennau wedi ei phlygu a'i chrychu hithau fel ei chynnyrch. Siaradai yn sydyn, yn gollwng y llafariaid yr oeddwn i yn eu defnyddio nes i'r cytseiniaid redeg i mewn i'w gilydd.

Prin iawn oedd gwerthiant cynnyrch o'r math hwn yn y siopau gwladwriaethol. Dyna gyflenwad cynnyrch tymhorol o fewn dalgylch dinas a'i wir bris yn adlewyrchu prinder, cost trafnidiaeth ac ymdrech mae'n bur debyg. Y siopau gwladwriaethol fyddai hi i mi o hyn ymlaen mae gen i ofn, nid y wledd hon o gynnyrch lliwgar a'u harogleuon. Y siopau di-liw amdani, eu cynnyrch prin a'r merched y tu ôl i'r cownteri'n edrych fel petaent yn disgwyl brwydr. Roeddynt wedi hen arfer gorfod dweud wrth bobl nad oedd dim o rywbeth neu'i gilydd ar ôl. Ond mi oedd yna ddigon o siopau gwladwriaethol yn gwerthu bara a chaws cyffredin, bara du trwm blasus a llawn maeth y tlodion cynt – bara rhyg.

Yna roedd hi'n amser troi tuag adref am yr hyn oedd bellach yn gartref am ryw hyd a chwilio am *stolofaia* ar y ffordd i gael te – caffis ar gyfer gweithiwyr gyda bwyd cynhenid rhad. Er fy mod i mewn prifddinas teimlwn fod yna naws wladaidd yno. Gwelwn bobl yn cerdded yn hamddenol y tu allan i oriau prysur gwaith. Cerddai merched hen ac ifanc, fraich ym mraich, ar hyd Prospect Calinina. Cyfarchai dynion hen ac ifanc ei gilydd gyda sws ar y ddwy foch.

Ymhen amser deuthum i arfer efo'r gwersi bob dydd. Wrth ddod allan o'n hystafell yn y boreau gwelwn ddeiliaid yr ystafelloedd oll yn mynd am eu gwersi hwy, y bobl o Fietnam yn ein coridor ni, pobl o Afghanistan o gyfeiriad coridor arall a phobl o Ciwba a gwlad Pwyl i lawr rhyw goridor arall eto. Ymunem i gyd yn ufudd i ddisgwyl am y lifft neu ddefnyddio'r grisiau. Byddwn yn darganfod bod nifer o bobl wedi bod yno'n astudio am gyfnodau hir, hyd at bum neu chwe blynedd. Ond y boreau cyntaf hynny, nid oeddwn yn adnabod neb ac es i lawr yn y lifft i gyfeiriad y coleg a'i wersi, heibio stondin papurau newydd a chylchgronau ar y llawr gwaelod.

Arhosais am ychydig wrth y stondin. Fy ffefryn i geisio ei ddarllen oedd *Literatwrnaia gazieta* a oedd yn debyg i'r *Guardian*, digon o drafod a dadansoddi pynciau diddorol gan gynnwys byd y celfyddydau yn ogystal â'r economi a gwleidyddiaeth. *Prafda* neu 'Gwir' oedd llais y llywodraeth yn hysbysu'r bobl o'u penderfyniadau. Roedd yna bapur o'r enw *Nofost* neu 'Newyddion', a'r papur newydd *Izfestia,* a chylchgrawn bach poblogaidd hefyd – *Crocodil* – llawn cartwnau a storïau doniol yn dychanu'r drefn. Nid oeddynt yn ddrud i'w prynu, ychydig o *gopeci* yn unig, ac roedd hi'n anodd peidio â gweld rhywun ar drafnidiaeth gyhoeddus nad oedd ddim yn darllen papur newydd, cylchgrawn neu lyfr.

Cefais hwb i'm hyder gan y darlithydd seineg. Ar ôl gwers un diwrnod gofynnodd i mi:

'A wnewch chi fod mor garedig â gadael i ni eich tapio chi'n siarad, yr ydym angen tâp ar gyfer myfyrwyr sy'n dysgu Saesneg 'dach chi'n gweld'.

Yr oedd o'n meddwl bod fy acen Rwsieg yn dda a dwi'n gwybod mai'r rheswm am hynny oedd fy mod i'n Gymraes a bod y Gymraeg yn gymorth gyda'r seiniau 'r' a 'ch' ar ffaith fod y ddwy iaith, fel y dywedais yn gynharach, yn ieithoedd ffonetig.

'Iawn,' atebais gyda'r parodrwydd i fod o gymorth – parodrwydd a oedd

Tref cyn y chwyldro 1584-1917

I.
ГОРОД
ДО
РЕВОЛЮЦИИ
(1584—1917)

Большую роль в истории марийского народа сыграла орденоносная Марий... ме в развитии авто...

...в XVI веке. ...ников декабря в

weithiau'n ffinio ar ffolineb. Ond wrth iddynt drefnu dyddiad ac amser i fynd i'r brifysgol i wneud hynny, sylweddolais fy mod yn dysgu Rwsieg efo acen grand, ond acen gyffredin sydd gennyf yn Saesneg a dechreuais sylweddoli nad dyna o ddifrif fasa'r myfyrwyr ei angen yn eu byd gwaith. Roedd tipyn o waith egluro mai'r bobl orau ar gyfer y tâp fyddai'r myfyrwyr Saesneg a'u llafariaid hir a'u hanawsterau cytseiniol. Ond doedd dim yn tycio ac yn y diwedd crewyd tâp ar gyfer dysgu Saesneg efo fy acen Gymraeg gyffredin.

Ond roeddwn innau'n cael trafferth efo sain y llythyren 't' yn Rwsieg. Yr oedd sain fy 't' Gymraeg i yn rhy wlyb. Ceisiais ymarfer y sain 't' sych Rwsieg a oedd yn symud ychydig tuag at sain y llythyren 'd'. Roedd fy anallu i ynganu'r sain yma am ddod yn bwysig iawn ar un o'r diwrnodau oer yno.

Efallai mai dim ond newid cynefin a oedd yn creu'r anhawster neu rywbeth yn y dŵr! Wrth gerdded tuag adref un diwrnod, roedd galwad natur yn rhy gryf o lawer. Edrychais i fyny gyda pheth chwys ac anobaith am doiled ar y cestyll fflatiau tal a'u drysau caeedig. Cerddais ymlaen a

chyda lwc, gwelais siop fara fechan ac i mewn a fi, yr oedd yna ychydig o bobl yno yn mân siarad gyda'r weithwraig a cheisiais ddal ei sylw. Eiliadau yn llusgo heibio fel epoc tan o'r diwedd trodd y weithwraig ei hwyneb ataf, moment sensitif, meddyliais, trodd wynebau pawb arall yn y siop ataf hefyd, 'Oes gennych chi 'twalet' os gwelwch yn dda?'

Nid oedd y gair 'twalet' yn dod allan yn iawn. Yr oedd fy 't' Cymraeg dal yn rhy wlyb. Ni theimlais erioed mwy siomedig gyda fy anhawster i seinio'r llythyr 't' yn Rwsieg na'r foment honno, 'Shto?' gofynnodd y weithwraig imi.

Dyma fi'n ailadrodd unwaith eto gan geisio cadw fy hunanddisgyblaeth. Ceisiodd pawb yn y siop fy helpu i fynegi fy hun yn y mater, ond heb ddim lwc. O'r diwedd dyma un o'r cwsmeriaid yn argymell pensil a phapur. Mewn dim, gyda *carandash*, sef pensel, yn fy llaw a thamaid o bapur ar y cownter, ysgrifennais fy nymuniad yn ofalus yn fy llawysgrifen Rwsiaidd orau.

Yr oedd y chwerthin yn hael ond dangosodd y weithwraig leoliad y tŷ bach i mi o'r diwedd a chefais fynd yn fy mlaen tuag adref heb ddamwain.

Roedd yn anodd credu faint o bobl a oedd wedi heidio i'r ddinas o'r wlad i chwilio am waith er mwyn cael dianc rhag amodau tlawd a chreulon. Roedd eu bywydau wedi mynd ar chwâl, ond eu perthynas â natur yn dal yn gryf, am y tro p'run bynnag. Roedd poblogaeth Moscfa yn dal yn wledig iawn eu ffordd yr adeg honno, er bod llawer wedi cyrraedd y ddinas yn y tridegau pan oedd diwydiant ar ei anterth.

Roedd yr awyr yn ffres oherwydd mai cymharol ychydig o geir oedd ar y ffordd a bod darpariaeth eang o drafnidiaeth gyhoeddus – bysus, troli bysus, a'r Metro yn bodoli. Nid oedd y car yn rheoli datblygiadau yn llwyr eto. Rhoddai'r trigolion eu henwau ar restr aros ar gyfer car pan deimlent eu bod yn medru fforddio gwneud, ac yna aros iddynt gael eu cynhyrchu. Yn y cyfamser, cymharol ychydig o fwg ceir oedd yna i lygru aer y ddinas.

I lawr a fi am y Metro, y llinell ogledd–orllewinol at ddiwedd y lein. Rhyfeddais at y *shapci* amrywiol a oedd yn addurno pennau fy nghyd-deithwyr – hetiau o flew coch, gwyn, brown a du. Arwydd o'r tymheredd yn gostwng yn is. Ni fedrwn ddyfalu croen pa anifeiliaid oeddynt ond yr oedd eu harogl yn creu darlun yn fy nychymyg – darlun o anifeiliaid ymysg y coedwigoedd diddiwedd o fedw a phin, ofn yn eu ffroenau a'r helwyr am eu gwaed. Mewn cymhariaeth, teimlai'r het wlân ar fy mhen yn ddiniwed ac yn annigonol ysgafn. Cadarnhawyd hyn gan y ddwy hen wreigan a ddaeth i fy nghwrdd wrth i mi ddod allan o'r Metro.

'Dach chi angen *shapca*,' meddai un *babwshca*, 'mae hi'n gaddo gaeaf oer.' Fe ddisgyn yr acen ar y sill gyntaf yn y gair *babwshca*, nid ar yr ail sill fel yr yngenir ef yn aml yn y Gorllewin.

'Beth sy' mater efo chi, wnewch chi rewi i farwolaeth,' meddai'r *babwshca* arall wrthyf, gan ymuno efo'r wreigan arall i fy nwrdio fel neiniau caredig. Roedd darlithwyr wedi egluro wrthyf fod merched dros eu pedwardegau yn cael eu galw'n *babwshca*, sef 'nain'.

Yn garedig, gafaelodd y ddwy yn fy sgarff a'i lapio rownd fy mhen ar ben fy het. Diolchais yn hael iddynt am eu cymorth a cherdded ymlaen gyda fy mhen yn llythrennol bron, yn y cymylau. Ac felly y cerddais, fy mhen wedi ei lapio fel twrban. Trewais ar *stolofaia* a cherddais i mewn gan dynnu fy sgarff. Ymunais â rhes am fwyd ac edrychais ar beth oedd ar gael. Roedd yno *consommé* – y dŵr clir ar ôl coginio llysiau, a *shchi* – cawl cabaitch, sleisys o gaws, stwnsh tatws, rhyw fath o gig, a digonedd o fara rhyg a menyn. Dewisais *shchi* er mwyn cael rhywfaint o lysiau, sleisys o gaws a stwnsh tatws gan anwybyddu'r cig.

'Be dach chi'n neud?' meddai'r *babwshca* a oedd yn gyfrifol am rannu'r cig. 'Dwi ddim yn licio cig,' meddais.

''Dach chi ddim yn licio cig! Ddim yn licio cig?' atebodd yn chwyrn. 'Does 'na ddim ffasiwn beth a ddim yn licio cig, dowch â'r plât 'na yma rŵan, ddim yn licio cig wir!' Licio neu beidio, cefais lwmpyn o gig seimlyd a grefi wrth ochr fy nhatws. Ni feiddiais ddweud dim ond 'diolch yn fawr' a'i gluo hi mewn embaras i chwilio am sêt. Mi roeddwn yn llwglyd a dweud y lleiaf, ac ar ôl yfed y swp gwan, bwyta'r ychydig o datws a chaws a oedd wedi cael eu rhoi ar fy mhlât, llowciais y cig seimlyd yn ddi-lol.

Nid oedd rhaid talu am y bara rhyg, ac fel cartref fy mhlentyndod yn y chwedegau, roedd o yno i lenwi unrhyw wacter yn y stumog a oedd ar ôl – platiad o frechdanau yng nghanol y bwrdd a phlât bach arall efo mymryn o ham neu wy wedi'i ferwi o'n blaenau. Cofiaf fy nhad yn dweud mai Taid a oedd yn cael yr wy wedi'i ferwi a fynta dop yr wy a Taid yn cael y bacwn a fo'n cael y croen. Dyna ystod bywyd chwarelwyr llechi Dyffryn Nantlle yn y dauddegau a'r tridegau. Wn i ddim beth oedd Nain yn ei gael i fwyta.

Ar y wal ger y bara roedd dywediad a dynnodd fy sylw:

Хлеб богатство
Им не сори
Его к обеду
В меру дери

Mae bara yn gyfoeth
Peidiwch â'i wastraffu
Cymerwch o efo'ch cinio
gan ei fesur yn ofalus.

Ysgrifennais y dywediad i lawr yn y llyfr a oedd yn rhan o fy nodiadau blêr am y cyfnod hwn yn fy mywyd, yna, Â minnau'n llawn dop, gwisgais fy nghôt amdanaf, fy het wlân ar fy mhen, a'r sgarff yn ôl fel twrban, a chychwyn yn ôl am neuadd y coleg. Dychwelyd ar y Metro ac yna ar fws pum *copec* i'r ystafell yr oeddwn wedi'i rhannu'n gyntaf efo Lana, y ferch eiddil o'r Wcráin. Bellach, Catia oedd yno, dynes gref, wyneb crwn, ganol oed, a oedd yn wreiddiol o Moscfa. Roedd Catia wedi hen arfer efo'r teclyn bach cynhesu dŵr ac yn gwneud paned i ni'n dwy fel petaem ni'n adnabod ein gilydd ers blynyddoedd. Yr oedd hi yno am rai misoedd, meddai, a byddai'n rhaid i mi gael cyfarfod ei theulu a oedd yn byw yn y ddinas.

Dywedodd Catia wrthyf fod nifer o bobl yn cael bwyd – mefus, afalau, llysiau – gan gyd-weithwyr iddynt oedd â *dacha* lle roeddynt yn treulio'u penwythnosau yn garddio. Erbyn heddiw mae hyn yn swnio fel bywyd cynaliadwy[7].

---

7 Term sy'n ymwneud â gwarchod a chynnal yr amgylchedd a'n bywyd ni ein hunain er mwyn lleihau allyriadau nwyon tŷ-gwydr a llygredd.

Cefais wahoddiad o dro i dro gan fyfyrwyr Prydeinig eraill i fynychu cocktail parties yn y Llysgenhadaeth Brydeinig. Mwynheais yr achlysuron, – cael eistedd mewn cadair esmwyth a chael siarad Saesneg – ond yr oedd yn well gennyf wneud yn fawr o fy amser yn y ddinas. Edrychai rhai o'r dynion ifanc yn y llysgenhadaeth yn llawn antur a phwrpas. Teimlwn yn hen wrth eu hochr, er eu bod tua'r un oed â mi. Roeddynt fel petaent newydd raddio a finnau wedi gadael ysgol yn un ar bymtheg flynyddoedd lawer ynghynt. Pendronais dros y gwahaniaeth rhyngom. Roeddwn yn amau mai darlun tra gwahanol o'r wlad oedd ganddynt, hwythau efallai wedi'u bwydo â syniadau'r Rhyfel Oer ac yn gaeth i Foscfa fwy na thebyg. Fel myfyrwraig roeddwn innau, fel hwythau, ddim ond yn cael teithio oddeutu 40 cilometr allan o Foscfa. Wrth deithio, flynyddoedd ynghynt, yn ôl am Gymru o Awstralia, nid oeddwn wedi sylwi ar y fath rwystr, er bod Fladifostoc ymhell yn nwyrain y wlad, yn ddinas gaeedig yr adeg honno, oherwydd ei bod yn ddinas â safle milwrol.

Gyda'r dyddiau'n troi'n wythnosau, arferais efo'r patrwm o oriau o wersi, y pentyrrau o waith cartref, y ciwio am fwyd, chwyrnu Catia, a'r pryfaid amryliw a lochesai yn yr ystafell ymolchi. Mwynheais y teithiau diwylliannol, y gwersi caneuon traddodiadol ac arferais, hyd yn oed, gyda'r pryfaid anweledig a adawai lympiau coch, coslyd ar fy nhraed, os oedd fy nhraed yn y golwg yn ystod y nos.

Crwydrais o gwmpas y Sgwâr Coch o dro i dro. Hoffais liwiau llachar Eglwys Gadeiriol Sant Basil a chromenni aur y Cremlin yn sgleinio yng ngolau'r haul. Ymunais â'r ciw hir ar un o deithiau diwylliannol y coleg i weld beddrod Lenin ymysg y twristiaid a'r parau priodasol, gyda'r priodferched yn eu ffrogiau priodas gwynion yn union fel ffrogiau priodas y Gorllewin. Roeddwn wedi gweld Lenin yn gorwedd yn ei fawsolëwm bedair blynedd ynghynt. Edrychai cyn-lywydd y wlad fel petai o'n cysgu. Fel nifer o arweinyddion yn y Gorllewin, gan gynnwys Lloyd George, yr oedd wedi ei hyfforddi'n gyfreithiwr, maes defnyddiol ar gyfer ymwybyddiaeth o'r Wladwriaeth. Pendronais ar yr angen i gadw corff marw a'i arddangos. Corff wedi ei bereneinio. A yw'r natur ddynol mor ansicr nes ein bod wastad angen rhywun fel icon o gnawd ac esgyrn?

Wrth i'r gaeaf fynd yn ei flaen, nid oedd yn bosib gweld dim trwy

O'r chwith i'r dde:
Dom cnigi Sant
Pedrbwrg, Cerdun Post
siop Beriosca, Coron
Ifan yr Ofnadwy

ffenestri'r bysus na'r troli bysus oherwydd ôl yr eira. Ni allwn weld dim
bron ychwaith trwy ffenestr fy ystafell ac anodd oedd agor y ffenestr
i ymestyn am y llefrith er mwyn ei ddadmer.

Penderfynais roi cynnig ar wneud ychydig o siopa Nadolig. Gelwais
yn un o'r siopau ar gyfer twristiaid, y *Beriosca* neu 'Y Fedwen'. Ffordd o
roi diweddeb annwyl i air oedd '*ca*'. Enghraifft adnabyddus o'r ffurf hon
yw'r gair *Fodca*. Y Rwsieg am ddŵr yw *foda*. Felly'r ystyr llythrennol
fodca yw 'dŵr annwyl' – dŵr annwyl o alcoholiaeth yn bla ar y wlad,
fel llawer gwlad arall, ac yn ffynhonnell o dristwch i niferoedd.

Yn y siop *Beriosca* yr oedd celf gynhenid ar werth, yn ogystal â dillad
drud o safon uchel o'r Ffindir ac alcohol a sigaréts o'r Gorllewin. Yr oedd
yno grochenwaith wedi ei addurno â lliwiau llachar ac aur, y gemwaith
ambr a'r doliau *matrioshca* adnabyddus a bocsys du wedi eu paentio
â golygfeydd o straeon gwerin. Prynais gwpan a soser i un o'm cyd-
fyfyrwyr a oedd yn byw ar yr un llawr, Ania o wlad Pwyl, gydag un o
fy sieciau teithio. Nid oedd y rwbl yn dderbyniol. Yr oedd y wlad angen
arian tramor. Ni fentrais brynu dim byd o'r siop i Catia. Gwyddwn bellach
fod pobl gyfoethog Rwsia yn defnyddio'r siop yn gyfrinachol ond ni
chaniateid mynediad i'r cyhoedd cyffredin. Yr oedd y peth i gyd yn
gweithredu ar reolau simsan â dweud y lleiaf, meddyliais. Nid oedd hwn
y math o bwnc y buaswn eisiau ei godi efo Catia rhag creu embaras iddi;
go brin bod Catia yn cael defnyddio'r siop er ei bod yn aelod o'r blaid

gomiwnyddol. Penderfynais siopa'n ofalus yn siop y llysgenhadaeth Brydeinig. Prynais hufen wyneb i Catia a dau fag o reis, gan feddwl eu rhoi nhw'n anrheg i'w chyfeillion o Fietnam.

Disgynnodd diwrnod Nadolig ar y dydd Sadwrn ac nid oedd rhaid mynd i ddosbarthiadau. Oherwydd hynny bu'n rhaid i mi fynd i fy ngwersi ar y dydd Sul, a'r darlithwyr hefyd, er eu bod nhw wedi bod yn gweithio trwy gydol yr wythnos. Nid oedd y Nadolig yn achlysur i'w ddathlu yno hyd at 7 Ionawr. Y flwyddyn newydd oedd uchafbwynt y gaeaf yno gyda *Ded Moros* neu Tada Rhew yn cyfateb i Siôn Corn. Er hynny, gwyddwn fod yr eglwysi ymhell o fod yn wag gyda phobl yn goleuo canhwyllau ac yn gweddïo yno'n gyson. Crwydrais ynddynt yn aml gan ryfeddu at y bensaernïaeth a harddwch yr adeiladau. Efallai mai golau'r canhwyllau main a wnâi i'r eglwysi ymddangos yn dywyll. Ar ôl i fy llygaid arfer gyda'r tywyllwch dechreuai'r lliwiau cyfoethog fy nghynhesu ynghyd â'r golau. Safai un *babwshca* ar ôl y llall yno gyda'u canhwyllau yn gweddïo'n dawel.

Gorweddai Colomenscoie, yr hen stad frenhinol, ger afon Moscfa ac yno roedd Eglwys Cazan gyda'i muriau gwyn a'i chromenni glas. Mor braf oedd cerdded mewn ardal wledig o fewn dinas, tir a oedd yn rhan o stad pedwar can hectar. Deliais y Metro yno o dro i dro i grwydro o gwmpas yr amgueddfa a'r eglwysi. Safai Eglwys yr Esgyniad yno hefyd gyda'i tho pabell pren enwog a chyferbyn iddi, Eglwys Sant Siôr, ac yn is i lawr am yr afon, Eglwys Ioan Fedyddiwr.

Meddyliais fy mod yno yn hollol ar fy mhen fy hun un diwrnod yng nghanol natur a'r awyr iach a chrwydrais o gwmpas gan chwibanu'n ysgafn o dan fy ngwynt. Teimlais yn llawen. Ymgartrefai fy ysbryd mor fodlon yng nghanol harddwch natur ar ddiwrnod braf. Roeddwn yn hoff iawn o chwibanu. Yr oeddwn wedi treulio peth amser yn dysgu chwibanu *The Marriage of Figaro* yn ei gyfanrwydd rai blynyddoedd ynghynt, gartref yng Nghymru. Teimlais beth llwyddiant nes i fy ewythr gynnig *Trill*, bwyd adar, imi i frecwast. Roeddwn wedi sylwi eisoes faint o ddynion a oedd yn chwibanu yn y boreau wrth fynd â bara o'r siopau neu wrth gerdded yn hamddenol braf gyda'r nosau hyd y lonydd gwledig. Yr oedd y sain weithiau fel cân y fwyalchen. Nid felly'r merched wrth roi golch ar y lein, neu wrth siopa am neges, nag wrth fynd am dro chwaith.

Pam y gwahaniaeth yma? Nid wyf yn gwybod. Beth bynnag, heb ddim rhybudd daeth *babwshca* i'r golwg, mewn gwisg ddu, fel y gwisgai llawer o ferched, a dweud wrthyf:

'Nid yw merched i fod i chwibanu.'
'Mae'n ddrwg gen i,' meddwn innau.

Dangosodd hithau eglwys i mi. Nid oedd neb yno'r diwrnod hwnnw. Goleuais gannwyll, arhosais am ychydig a gadewais gyfraniad. Yr oeddwn wedi arfer efo capeli gwladaidd bychan syml, Band of Hope a chodwr canu cynnes, caredig, a faint fynnir o lawenydd yn ogystal â thristwch yno. Efallai mai tristwch yn unig a oedd yn perthyn i'r wisg ddu.

Roedd crandrwydd mewnol yr eglwysi yn fy syfrdanu bob tro. Yn erbyn crandrwydd yr aur, yr oeddwn yn falch o olau'r canhwyllau main, syml, a oedd yn gyfeiliant i anghenion mewnol y gynulleidfa. Efallai nad cynulleidfa yw'r gair cywir – nid oedd neb yn eistedd. Merched mewn oed yn gwisgo du oedd y rhan fwyaf o'r bobl a ddôi i mewn. Roedd yna ambell ddynes gymharol ifanc yno hefyd, a sgarffiau lliwgar ar eu pennau wedi ei glymu yn steil y pumdegau.

Amrywiai'r tymheredd rhwng gwahanol lefelau o oerni. Yr oeddwn wedi disgwyl iddi oeri mwy erbyn Ionawr, ond daeth cyfnod llai oer na'r mis blaenorol. Ymlaen aeth y gwersi, y chwilio am fwyd a'r cymdeithasu ar deithiau diwylliannol a drefnwyd ar gyfer bob yn ail bnawn dydd Mercher. Gwelwn werthwyr hufen ia â'u stondinau trwy'r flwyddyn, boed haul poeth neu eira oer, ac roedd blas heb ei ail arno.

Cerddais o gwmpas Wspensci Sobor a'r eglwysi cadeiriol eraill a addurnai'r Cremlin, gan geisio dilyn termau a ffeithiau'r tywyswr o'm blaen. Siaradai yn bwyllog ond nid hawdd yw dilyn pob dim mewn iaith mae rhywun yn ei hastudio, yn enwedig os yw'r pwnc yn anghyfarwydd. Ceisiais ddilyn pa ganrif yr oedd y tywyswr yn cyfeirio ati, pwy oedd mewn grym, pa arddull a oedd yn cael ei ddefnyddio, beth oedd y defnydd crai, pwy oedd yn comisiynu'r gwaith.

Troediais yn benysgafn chwil ar ddiwylliant, ymysg cynnwys cyfoethog Amgueddfa'r Arfdy a'i enw milwrol, Orwzhenaia Palata, gan ddioddef camdreuliad deallusol wrth geisio dygymod â'r cynnwys.

Amhosib oedd disgrifio'r gwaith manwl, safon y crefftwaith, dyfnder a dychymyg yr artistiaid na chyfoeth y comisiynwyr.

Edrychais i mewn i gas 24 yn y drydedd ystafell. Eisteddai wyau Pasg *Faberge* yno. Yr oedd un wedi ei addurno gyda map o'r rheilffordd Traws-Sibir. Oddi mewn roedd trên a pheirianwaith cloc aur, ffenestri crisial, locomotif platinwm a charreg ruddem fel lamp. Rhyfeddais wrth feddwl fod yr Ymerodres Maria Ffedorofna yn derbyn wy *Faberge* gwahanol gan Tsar Alecsander y Trydydd bob Pasg, pob un ohonynt yn rhyfeddod o ddylunio, crefft a dychymyg.

Crwydrais o gwmpas Amgueddfa Gelf Gain Pwshcin, y Mwzei Izobrazitel'nich Iscusstf imeni A. S. Pwshcin, ar stryd Folchonca. Mwynheais y casgliad o waith celf Ffrengig lliwgar yr argraffiadwyr yno. Efallai ei fod yn ormod i mi – cymaint o dalent, cymaint o grefft, canrifoedd o waith gan artistiaid anhygoel eu hoes.

Sefais o flaen Bedd y Milwr Anhysbys yn Prospect Marcsa. Man gorwedd gweddillion milwr anhysbys a laddwyd yn yr Ail Ryfel Byd. Troais ar fy sawdl ac adref â mi.

Profiad tra gwahanol oedd rhannu ystafell efo Catia. Lle bu Lana'n gorwedd yn ddisymud a thawel, roedd Catia yn chwyrnu fel tarw, lle y bu corff eiddil Lana a'i phersonoliaeth yn yr ystafell fechan bron yn anweledig, roedd corff cryf Catia a'i phersonoliaeth yn llenwi pob cornel. Er yn wreiddiol o Foscfa, roedd Catia wedi dod i fyny o Tashcent i ddilyn cwrs *aspirant*, cwrs dysgu Rwsieg i Wsbeciaid. Roedd hi wedi cael ei gyrru i Tashcent yn faciwî yn ystod y rhyfel meddai dros un o'n paneidiau. Nid y rhyfel hwnnw lle collodd fy nhaid ei goes wrth gwrs, ond yr un ar ôl hwnnw, yr Ail Ryfel Byd, yr un y bu fy nhad ynddo.

Nid oedd Catia yn dawel wrth yfed paned chwaith, siaradai gyda llais llawn sicrwydd gan lwytho ein te du efo jeli rhuddgoch allan o botyn gwydr. Yfem y te efo'r jam melys tra dywedai wrthyf am ei thripiau i'r Eidal ac am ei nain a oedd yn Bolshefic ifanc a âi o gwmpas y ddinas yn codi posteri ar waliau'r ddinas cyn y Chwyldro. Ac felly y deuthum i yfed te du Georgia efo llwyaid o jam a elwid yn Rwsieg yn *farenie*.

Lapscaus

PENNOD 4

'Rwyf yn dod o amser a falodd ac a wasgodd, a dorrodd yn deilchion, a arweiniodd lawer i ffwrdd, a fygodd y fflam a ddylai fod wedi fy nghynhesu.'
Kirsti Paltto (Sami)

Daeth rhyw adeg yn fy mywyd pan wnes i sylweddoli nad oedd teulu pawb wedi bod yn y rhyfel. Nid hynny ynddo ei hun wnaeth fy nharo i, ond sylwi bod yna deuluoedd a oedd yn medru ymlacio a gwenu a chwerthin yn rhwydd a pharod. Nid pawb oedd yn nofio rhwng gwacter a distawrwydd llawn ysbrydion.

Efallai fod hwn yn brofiad cyffredin oherwydd dyna'r teimlad a gefais wrth darllen llyfr hunangofiannol Melvyn Bragg, *The Soldier's Return*, effaith rhyfel ar un o'r prif gymeriadau ac ar fywyd teuluol. Cofiaf fy nhad yn gweiddi mewn hunllef o gwsg, a fy nhaid yn cyfarfod ffrindiau o'r Rhyfel Byd Cyntaf i gofio ac anghofio yn nhŷ tafarn y pentref. Byddaf yn tueddu meddwl fod y genhedlaeth ddilynol wedi copïo'r un patrwm o yfed, er bod rhesymau'r genhedlaeth honno dros wneud hynny ddim yn bodoli mwyach, dim ond yr arferiad.

Ofnai fy nhad effaith alcohol, yr oedd wedi gweld llawer un yn dioddef yn ei sgil. Efallai mai dyna pam yn rhannol, y glynodd mor dynn i de. Nid anodd oedd sylweddoli fod yna ddifrod tebyg ymhlith pobl Rwsia ac o fewn y gymdeithas. Collodd nifer enfawr eu bywydau yn yr Ail Ryfel Byd ac roedd patrymau yfed a lefelau o alcoholiaeth uchel yno yn ddigon tebyg i Gymru a'r rhan fwyaf o Ewrop, cymaint nes nad oedd neb yn cymryd fawr o sylw o'r peth.

Roeddwn ar y ffordd i siop *Beriosca* o gwmpas Nadolig pan welais ddyn yn gorwedd yn yr eira ar y llechwedd islaw'r palmant. Roedd ganddo wallt syth, hir, ar un ochr i'w ben moel, y math o wallt y mae'r perchennog yn ei gribo dros y moelni. Nid oedd ei *shapca* ar ei ben yn iawn ac yr oedd y pen moel yn edrych yn ddiamddiffyn.

Edrychais o fy amgylch. Roedd yna dipyn o bobl o gwmpas ond ni chymerai neb sylw ohono. Dringais i lawr yr ochr lithrig ato i geisio ei helpu. Yr oedd yn fyw ond yn edrych fel petai wedi yfed gormod. Wrth imi benlinio wrth ochr y creadur difrwyth gwaeddais am gymorth:

'*Pomogite!*' gwaeddais, '*Pomogite!*'

Ni chymerai neb fymryn o sylw.

Fel buasai nain yn ei ddweud, teimlais fod angen gras.

Ni fedrwn godi'r dyn, roedd o'n rhy drwm o lawer. Llithrai'r ddau ohonom yn is ar yr eira wrth imi geisio ei godi. Yr oedd ei *shapca* bellach tua throedfedd uwchlaw ei ben oer, croengoch, moel, a'r tymheredd llawer is na'r rhewbwynt.

O leiaf medraf roi ei het ar ei ben, meddyliais. Dringais i fyny'n uwch i estyn ei *shapca* a dringo nôl ato i godi pen y dyn. Llwyddais i wneud hynny a dodais ei *shapca* ar ei ben. Llithrodd y ddau ohonom i lawr ychydig eto wrth i mi gyflawni hyn. Edrychais arno. O leiaf mae ei *shapca* ar ei ben yn well rŵan, dywedais wrthyf fy hun. Gadewais y dyn anhysbys gan deimlo yn ddiffrwyth ac eisiau crio. Efallai fod yntau yn gyn-filwr a oedd wedi troi at y botel i anghofio.

Pan oeddwn yn blentyn bychan, cerddai fy nhaid a fi i fyny grisiau yn y chwarel i weld cof-golofn yn rhestru'r rhai a gollodd ei bywydau yn y Rhyfel Byd Cyntaf. Prin y byddai un ewythr imi yn siarad o gwbl oherwydd effaith y rhyfel. Dyna bapur wal fy mhlentyndod, yr effaith gafodd rhyfel ar y genhedlaeth honno ar draws Ewrop ac ymhellach.

Teimlai Taid Norwy mor gryf am erchyllter y Rhyfel Byd Cyntaf fel y penderfynodd fynd ar ei un goes o gwmpas y wlad efo'i gyfaill yn dangos ffilm o'r dioddefaint adeg y rhyfel. Nid wyf yn gwybod os oedd ganddo ffilm o frwydr y Somme lle y collodd ei goes. Yn ôl Mari, roedd yr offer a oedd ganddo i ddangos y ffilm yn gwneud sŵn ofnadwy bob hyn a hyn a chyfaill fy nhaid yn neidio i'r llawr mewn ofn fel petai magnelau yn dal i saethu'u bwledi a'r bomiau'n dal i ddisgyn. Roeddwn i ddarganfod bod rhyfel yn gyffredin i drigolion ystafelloedd coridorau llawr 13, ac efallai bod hynny'n ffactor pam y gwnes i deimlo mor gartrefol efo nhw.

Y gair Norwyeg am gawl yw *lapscaus*, a dyna oeddem, cymysgfa lobscows o bobl. Fel yr aeth yr amser heibio a'r tymheredd yn disgyn, dechreuasom gymdeithasu a dod yn ffrindiau a chael ambell noson lawen yn ystafelloedd ein gilydd.

Canai Abdulah gân Mary Hopkin 'Those were the days' mewn modd dwyreiniol, nodau yn disgyn i hanner nodau ac yn ôl eto. Edrychais ar ei wyneb llawn creithiau. Cerddai gan hercian ychydig, canlyniad anaf bwled i'w goes. Roedd hi'n gân arbennig yn ei wlad, meddai ef, gyda llygaid a llais llawn teimlad. Ymhen blynyddoedd wedyn y gwnes i ddarganfod mai cân Rwsieg ramantus o'r enw 'Dorogo Dlinnoiw' – 'Y Ffordd hir' – oedd hi. 'Wyddwn i ddim chwaith ar y pryd bod y cyfansoddwr, Boris Fomin druan, wedi cael blwyddyn o garchar o dan Stalin yn 1937 oherwydd naws ramantus ei gerddoriaeth. Fel petai yna rywbeth o'i le ar hapusrwydd pobl.

Erbyn i mi gyfarfod Abdulah, roedd Afghanistan, y gweiryn rhwng y grymoedd, wedi cael pedair blynedd o ryfel yn barod. Roedd o'n amlwg yn yfwr te, roedd yfed te yn arferiad yn ei wlad ef fel y darganfu Dervla Murphy. Gwyddeles ryfeddol yw Dervla a benderfynodd ar ôl derbyn atlas a beic ar ei phen-blwydd yn ddeg oed y byddai, pan yn hŷn, yn reidio beic i India. A dyna a wnaeth hi yn ei thridegau cynnar. Ar y ffordd yno ar ei beic, y peth cyntaf a wnaeth hi wrth gyrraedd Afghanistan, ar ôl reidio'r holl ffordd yno o Iwerddon yn 1961, oedd yfed te. Fe arhosodd mewn lle o'r enw Ghurion, sydd fel ei enw, ar gyrion ffiniau'r wlad ac ar y ffordd fawr. Arhosodd mewn 'little tea-house'a dyma'i disgrifiad o'r te:

The tea here comes by the tea-pot, instead of by the glass as in Turkey and Persia. You get about a pint of it and a little china bowl half filled with sugar into which you pour the tea and by the time you've had four bowlfuls the sugar is all gone.

Er nad oedd yna ferched o Afghanistan yno'n astudio Rwsieg, ni theimlais unrhyw siofinistiaeth tuag ataf gan Abdulah na'i gyfeillion. Nid yw Dervla Murphy yn brin o hyder yn eu mysg chwaith ar ôl iddi lusgo ei beic yno trwy'r Khyber Pass er ei bod yn gwneud y sylw:

The women I simply haven't seen; very few appear on the streets and those few are completely veiled - not in the *chador* of east Turkey and Persia, which leaves eyes and nose just visible, but in the *burkah*, a garment like a tent with a piece of lace at eye-level.[8]

Gwelodd ddwy ddynes wedi'u gwisgo felly ar gefn merlyn. Ond yn y brifddinas, Cabwl, mae ffasiynau gorllewinol yn fwy amlwg:

One sees a few women and quite a number of girls unveiled in the streets here and many men wear European suits, though happily these are still in the minority.

Un o wlad Pwyl oedd Ania, deiliad ystafell arall ar lawr 13. Canai ganeuon Doris Day, y naill ar ôl y llall, yn ogystal â chaneuon Pwyleg cyn adrodd 'The Fox and the Grapes' yn ei gyfanrwydd yn Saesneg gydag acen Americanaidd y pumdegau. Roedd hi a'i ffrindiau yn Gatholigion yn ogystal â bod yn gomiwnyddion gyda phob un aelod o'i theulu, gan gynnwys ei nain, yn aelod o *Solidarność*, y symudiad undebol a ffurfiwyd o dan arweiniad Lech Wałęsa.

Canai Cwang a Hien o Fietnam gân Fietnameg am bentref heddychlon, hardd, ger afon. Codai eu lleisiau urddasol a theimladwy ysbryd hiraethus yn yr ystafell fechan.

Cefais brofiad annisgwyl yn ystafell Cwang. Roeddwn yn eistedd yno un gyda'r nos yn rhannu paned a sgwrs pan ddaeth un o'i gyfeillion heibio. Daeth i mewn a gwagio llond ei freichiau o sigaréts Benson &

---

8   Dervla Murphy, *Full Tilt – from Dublin to Delhi with a bicycle* (Llundain: John Murray, 1965) t. 47.

Hedges ar y gwely. Edrychodd arnaf mewn sioc a dyma Cwang yn ei gyflwyno'n siriol.

'Vendi, dyma Ho, ein cynrychiolydd masnachol.'

'Helô, Ho,' meddwn innau yn methu â pheidio gwenu ar y cynrychiolydd masnachol o Fietnam a'i sigaréts o'r farchnad ddu. Rhedai'r farchnad ddu ochr yn ochr gyda'r ddarpariaeth wladwriaethol fel olew ar gyfer injan letchwith a oedd wedi mynd yn rhydlyd.

Mi roedd Cwang wedi clywed am Gymru.

'Gwlad gyfoethog iawn,' meddai.

Anodd oedd peidio hoffi Cwang. Yr oedd yn ŵr bonheddig dros ben, cynnes ac ysgolheigaidd, cwmni difyr a ffeind. Treuliem beth amser efo'n gilydd a fesul dipyn dywedai ychydig o'i hanes wrthyf. Yr oedd wrth ei fodd yn darllen a gwrando ar gerddoriaeth glasurol. Mwynhaodd ddarllen gwaith Tshechof a Phwshcin.

Pob nos Wener aem i'r pictiwrs gyda'n gilydd ynghyd â'i gyfaill a rannai ei ystafell. Aem ein tri, fraich ym mraich pan ddaeth yr eira, gan gerdded yn ofalus rhag cael codwm.

'Bydd rhaid iti ddod i Fietnam un diwrnod,' meddai Cwang wrthyf.

'Buaswn wrth fy modd,' atebais, gan geisio bod yn gwrtais, ond yn ansicr a oeddwn eisiau mynd neu beidio.

'I *syllu*,' dywedodd ei gyfaill yn gwta.

Ni ychwanegodd ddim byd at y sylw, dim ond disgyn yn ôl i'r llonyddwch tawel a oedd mor nodweddiadol ohono. Ystyriais pa mor ofnadwy fuasai gweld twristiaid yn edrych ar olion dioddef fel rhywbeth i ymweld ag ef, ond heb fath o synnwyr o wir ddioddefaint y wlad; dyna, y tybiais, yr oedd o'n ei deimlo.

Un nos Wener yr oedd y ffilm *Spartacus* ymlaen a dyna lle'r oedd Kirk Douglas efo llais rhywun arall yn siarad Rwsieg. Cyn i'r ffilm ddechrau ymddangodd rhaglen ddogfen ar deithio i'r gofod. Roedd chwerthin mawr gan y gynulleidfa pan ddywedodd y cyflwynydd:

'Dan ni wedi gyrru dyn i'r gofod a'r Americanwyr wedi danfon mwnci!'

Fedrwn i ddim peidio â gwenu.

Ystyriai Cwang a Hien yr Undeb Sofietaidd yn wlad gyfoethog. Ni fentrwn i fynegi barn ar hyn. Roeddwn yn ofni brifo'u teimladau ac nid oeddwn eisiau ymddangos yn anghwrtais. Dywedodd Cwang wrthyf am y crydcymalau yr oedd y tyfwyr reis yn ei ddioddef oherwydd sefyll yn y caeau dŵr.

'Sefyll yn y dŵr sy'n creu'r cyflwr,' meddai.

Cytunais. Brifai fy nghorff i mewn ymateb i'r glaw bron fel baromedr. Yr oeddem ein dau yn synfyfyrio.

'Mae meddyginiaethau'n drysor,' dywedodd Cwang ar ôl ychydig.

'Yn tydyn,' cytunais eto. Nid oes neb yn licio bod yn sâl nac mewn poen.

Cyn ymadael â Cwang am y tro olaf rhoddodd anrheg o feddyginiaethau i mi. Rhai o Fietnam a rhai o'r Undeb Sofietaidd yn cynnwys olew ar gyfer yr ysgyfaint ac olew ar gyfer crydcymalau.

'Mae'n rhaid bod yn ofalus efo hwn oherwydd y gwenwyn neidr,' meddai Cwang gan bwyntio at diwb mewn bocs ac ysgrifen Rwsieg arno.

'Gwenwyn neidr?' gofynnais.

'Ia, mae angen darllen y cyfarwyddiadau yn ofalus iawn'.

A rhoddodd ei drysor o feddyginiaethau i mi.

Cefais hi'n anodd dweud diolch wrtho. Yr oedd fy ngwddf yn llawn dagrau yn cracio'r geiriau wrth iddynt ddod allan.

Yr oedd y bobl o Fietnam yn ddyfeisgar. Dychwelais adref un diwrnod i weld pressure cooker yn sefyll wrth ddrysau nifer o'u hystafelloedd.

'Dyna giwio llwyddiannus!' oedd fy nghasgliad.

Ar ôl y bomio

Bu Cwang mor glên bob amser a fynta wedi cael ei fagu mewn cartref i blant yn Hanoi, ei fam wedi cael ei saethu gan y Ffrancwyr a'i dad wedi marw o anafiadau yn ystod ymosodiad America. Wrth gael paned o de efo fo a Hien, chwaraeai Cwang recordiau o gerddoriaeth Fietnam gyda'u hysgrifen Lladin ar y clawr, dylanwad teyrnasiad y Ffrancwyr ar eu hiaith meddai. Yr oedd un llygad iddo yn hollol wyn. A Hien yn dweud wrthyf am ei phentref ger y ffin efo Tsieina, pa mor hoff yr oedd hi ohono a pha mor ifanc yr oedd hi'n blentyn yn gorfod dysgu sut i ddefnyddio gwn i'w amddiffyn.

Cefais wahoddiad i de gan Abdulah. Gwisgodd ei wisg wen, hir, lân ac eisteddais gydag ef a'i gyfaill i rannai ei ystafell. Roedd ei gyfaill wedi ei greithio'n sylweddol gan fwledi. Dysgu Rwsieg ar gyfer masnach yr oeddent. Disgwyliai'r ddau yn fonheddig i mi ddechrau bwyta. Edrychais arnynt ac wedyn i lawr at y bwyd. Wyau wedi eu ffrio'n feddal gyda thomatos a nionod a brechdan wen. Bendigedig. Edrychais ar y ddau unwaith eto gan wenu'n wan cyn troi yn ôl at y bwyd. Ni wyddwn pa law i'w defnyddio. Nid oedd yna gyllell na fforc ar gael. Pa law oedd y llaw lân? Wel, yr oedd rhaid mentro weithiau meddyliais, a gafaelais yn y frechdan wen gyda fy llaw dde yn ddi-lol a'i rhoi yng nghanol y melynwy.

'Blasus iawn,' dywedais wrthynt yn ddiolchgar. 'Diolch yn fawr iawn'.

Cysgais yn drwm un noson. Mor drwm nes i mi beidio clywed dim o chwyrnu Catia. Pan ddeffrais, prin yr oeddwn i'n medru codi fy mhen oddi ar fy nghlustog, roedd o gyn drymed â phlwm. Ni fedrwn roi fy mhen i lawr yn hawdd wedyn chwaith, yr oedd y boen yn ormodol. Ychydig a gofiaf am yr ychydig ddyddiau wedyn. Rhoddodd rhywun banad o de i mi a daeth y dŵr brown i gyd yn ôl i fyny.

Â finnau'n gorwedd yn ddifrwyth felly, clywn symudiadau Catia o dro i dro ac weithiau ambell un o'i chyfeillion a oedd yn taro draw.

'Be sydd arni?'

'Y gwaed wedi dechrau rhewi yn ei phen, does ganddi hi ddim *shapca*.'

Clywais sgwrs arall yn chwifio i mewn i'm hisymwybod fel awel a siglai fy myd.

'Beth oedd gwaith dy rieni di?'

'Ffermwyr oeddynt – *Cwlaci* – cawsant eu lladd yn ystod y carthu mawr, beth amdanat ti?'

'O Fosfa - *Bolshefici*'.

Lleisiau didaro. Eu normal hwy.

Mor braf fu'r bora hwnnw pan godais fy mhen yn ddidrafferth, gallu llyncu paned o de a hwnnw'n aros i lawr a chael llond bol o'r *casha* llesol heb anghofio osgoi'r lwmpyn o fenyn seimllyd yn y canol. Gwyddwn y buasai'n rhaid ystyried prynu *shapca* rŵan. Dyna gyfri pres ac edrych o gwmpas y siopau am un fforddiadwy. Yr oeddynt yn ddrud, o gwmpas can rwbl neu gan punt, ffortiwn.

Sylwais ar brisiau cotiau yr un pryd. Roedd y cotiau'n debyg i'r rhai a wisgai'r *babwshci*. Roeddynt hefyd yn costio o gwmpas can punt. Sut oeddent yn medru eu fforddio nhw, meddyliais?

Yr oedd y *shapci* yr oeddwn yn eu hystyried yn ddeniadol yn ddrutach. Roeddynt yn dipyn o ddatganiad ffasiwn. Buasai talu am un o rheini yn ei gwneud hi'n amhosib imi brynu digon o fwyd. Edrychais ar un het wen blentynnaidd, ffŷr gwningen wen efallai. Pedwar deg pum rwbl.

Roedd rhaid i honno wneud y tro. Trïais hi ar fy mhen. Nid oeddwn i'n ei hoffi o gwbl. Edrychwn fel oedolyn wedi gwisgo fel plentyn . Well na rhewi'n farblis wedyn. Es i dalu amdani a rhoddais hi ar fy mhen a chael diwedd arni.

Gyda fy het yn gynnes dros fy nghlustiau a fy sgarff yn gynnes o gwmpas fy ngwddf, gelwais yn siop y Llysgenhadaeth Brydeinig am bapur toiled a thun bach o ffa pob i godi fy nghalon ar ôl y gwariant mawr am *shapca*. Es i mewn gan ddweud 'helô' wrth y gwarchodfilwyr Rwsieg a safai tu allan, eu hwynebau'n llosgi'n goch gan yr oerfel a'u traed yn stompio'r palmant fel ceffylau aflonydd. Siop fechan oedd siop y llysgenhadaeth, fel siop gornel mewn pentref gydag ychydig bach o bob dim. Roedd hi'n o ddrud i mi ei defnyddio'n aml.

Telais am y ffa pob a'r papur toiled cyn mynd i'r llyfrgell yno i ddewis llyfr Saesneg. Yr oeddwn yn ysu am lyfr Saesneg i'w ddarllen. Eisteddais mewn cadair gyffordus yno yn pori trwy'r teitlau yn gynnes braf. Dyna nefoedd. Dewisais *The Way of all Flesh* gan Samuel Butler i'w fenthyg cyn gadael y byd bach Prydeinig o fewn Moscfa, a dweud nos dawch wrth y gwarchodfilwyr rhynllyd druan cyn troi am adref. Roeddwn wedi blino ar gynefino. Y noson honno darllenais lyfr Saesneg gan anwybyddu fy mhentwr nosweithiol o waith cartref Rwsieg am unwaith. Dyma fwrw i mewn i nofel hunangofiannol Samuel Butler a'i ddisgrifiadau o fywyd bob dydd ym Mhrydain y bedwaredd ganrif ar bymtheg, byd cyn belled ag y gellid ei ddychmygu oddi wrth fy ystafell fach gynnes mewn neuadd ar gyrion Moscfa.

Efallai mai dyna pryd y cymerais dacsi, efallai fy mod yn dal dipyn bach yn sâl. Dreifiodd y gyrrwr yn wyllt gan siglo'r olwyn o'r naill ochr i'r llall. Yr oedd o wedi bod yn y fyddin yn rhyfela yn Afghanistan. Siaradai yn ddarniog, fel petai ei frawddegau yn cael eu torri'n fân gan siswrn a'i eiriau yn cael eu lluchio i'r gwynt. Efallai mai'r rheswm na fedrwn edrych ar ei lygaid oedd rhag ofn eu bod fel drych yn adlewyrchu hunllefau ei ddioddefaint.

Rhennais y ffa pob gyda Chatia. Bwytaodd y ddwy ohonom hwy'n oer efo caws a bara menyn.

'Dwi'n cofio'r rhain yn y siopau pan oedd Brezhnef mewn grym,' meddai.

A dyna Abdulah yn gofyn i mi rhyw ben yn ei Rwsieg bratiog, acennog, os oeddwn eisiau mynd i gyfarfod cyfeillgarwch efo fo. Derbyniais y cynnig yn ddifeddwl. Dyma ni'n mynd trwy'r eira a'r oerni, a finnau'n gwisgo'r het ffŷr blentynnaidd, yn dal y bws a'r Metro gan siarad a cheisio deall ein gilydd sy'n reit anodd pan fo het ffŷr dros eich clustiau, heb sôn am yr iaith ddiarth, a chyn hir roeddem yn y Sgwâr Coch ac yn cerdded am Eglwys St Basil ac i mewn i neuadd gyngres y Cremlin.

Roedd hwn yn adeilad cymharol fodern wedi ei gwblhau yn 1961 ac yn cael ei ddefnyddio ar gyfer cyngherddau a pherfformiadau bale yn ogystal â chyfarfodydd llywodraethol y Gyngres. Nid oeddwn wedi rhoi fawr o sylw i lle'n union yr oeddem yn mynd, ond cyn bo hir cefais fy hun yn eistedd i wrando ar be bynnag a oedd yn digwydd. Dyna lle roeddwn, yn eistedd yn y Cremlin, yr unig ferch yng nghanol môr o ddynion gwallt du o Afghanistan, yn gwrando ar areithiau dynion Rwsiaidd mewn siwtiau ar lwyfan yn sôn am gyfeillgarwch rhwng yr Undeb Sofietaidd ac Afghanistan!

Merched

Четыре времени года

Сегодня я туда вернусь
Где я была весной
Я не горюю, не сержусь
И только мрак со мной.
Как он глубок и бархатист
Он всем всегда родной,
Как с дерева летящий лист,
Как ветра одинокий свист
Над гладью ледяной.

12 октября 1959. Анна Ахматова

Pedwar Tymor y Flwyddyn

Dychwelaf yn ôl i'r fan hon
Lle yr oeddwn yn y gwanwyn
Nid wyf yn galaru, nag yn flin,
Dim ond tywyllwch a ddof gyda mi.
Mae o'n ddwfn iawn fel melfed
Mor annwyl i ni
Fel deilen wedi ffoi oddi ar goeden,
Fel chwiban y gwynt wedi ei
        wasgaru'n unig
Dros y rhew llyfn.

12 Hydref 1959 Anna Achmatofa

Yr wyf yn nhŷ cefnder mam yn Norwy yn canu piano fy hen nain.
Mae'r tŷ yn hen dŷ pren yng nghanol y wlad, ymhell o unrhyw anheddau,
ger llyn. Mae'r piano yn dangos ei oed gyda'i ddwy ganhwyllbren yn
sownd ar y dde a'r chwith i'w thalcen pren, er mwyn i chwaraewr y
piano gael digon o olau ar gyfer darllen cerddoriaeth. Mae gennyf gopi
o gerddoriaeth wedi ei ysgrifennu gan fy hen nain a fy hen daid gyda'r

geiriau Swedeg '*Frid och Fornojels*' ('Gorffwys a Hedd') wedi ei ysgrifennu ar draws y dudalen gyntaf, a'i bris, am ryw reswm anhysbys, wedi ei nodi mewn sylltau Prydain yn lle *kroner* Sweden, sef tri swllt. Cafodd ei argraffu ychydig flynyddoedd cyn i Sweden ddychwelyd ei hannibyniaeth i Norwy yn 1905. Wrth ymyl y piano mae yna gas gwydr ac ynddo amrywiaeth o fwynau a cherrig wedi eu casglu gan fy hen daid.

Dywedodd Mari fod fy hen nain wedi bod yn weithgar dros addysg i ferched ac mai fy hen fodryb Eveline, a fu fyw i fod yn gant ac un, oedd y ddynes gyntaf i astudio Daeareg ym Mhrifysgol Oslo. Meddyliaf am yr eironi, Eveline a fy hen nain yn brwydro am gydraddoldeb rhwng merched a dynion a hynny'n rhywbeth a oedd yn ymddangos yn naturiol yn ffordd o fyw draddodiadol y Sami gynt.

Gartref, mewn drôr, mae gen i emrallt bychan mewn bocs matshys â geiriau Norwyeg arno. Eveline ddarganfu'r garreg wrth sgio gyda fy hen fodryb Annaline pan yn ifanc, ac yna fy hen daid anturus yn prynu'r tir a sefydlu un o'r mwynfeydd a oedd yn berchen arnynt yn Norwy a Sweden. A dyma mam fy nhad yn dweud wrthyf am yr adeg y daeth Lloyd George i de i Blas Tal-y-sarn pan oedd hi'n gweini yno, a'r ardd fawr ddim cweit wedi dechrau cwympo i lawr i'r twll enfawr a dyllwyd gan ddwylo'r chwarelwyr.

Nid oes gennyf lun o fy nain yn ifanc, dim ond un pan oedd hi wedi mynd i oed a'i gwallt hir wedi ei rowlio rownd elastic o gwmpas ei phen, yn ôl ffasiwn ei hieuenctid. Gweini oedd hi pan gyfarfu â'm taid, mewn plasty yn Ninas Dinlle erbyn hyn, fynta'n martsio heibio yn ei lifrau adeg y Rhyfel Byd Cyntaf a hithau yn chwifio ei llaw arno trwy ffenest.

Byw yn syml oedd athroniaeth Nain, efallai'r athroniaeth galetaf a'r gorau a gafwyd. Prin y bu hi allan o'r ardal erioed i mi wybod. Un o'r merched hynny a fedrai wneud prydau allan o ddim. Roedd cyn lleied yng nghypyrddau bwyd y rhan fwyaf ohonom yr adeg honno, ac roedd yn gyfnod o siopa am rywbeth ffres bob dydd. Ychydig iawn o lyfrau a oedd yn y tŷ – y Beibl, llyfr cymorth cyntaf fy ewythr, ei *Readers Digest* a'i bapurau dydd Sul.

Nid oedd yna olwg o biano na cherddoriaeth o unrhyw fath ar wahân i Nain yn hwmian emynau. Ni chlywais Nain yn sôn am hawliau merched, a dyn addfwyn oedd Taid wedi gorfod ymladd yn y Rhyfel Byd Cyntaf, a'u meibion, gan gynnwys fy nhad, wedi gorfod ymladd yn yr Ail. Prin efallai fod hawliau merched yn codi yn sgil eu dioddefaint, ond gwn fod fy modryb wedi mynd i weithio i ffatri arfau rhyfel ym Mirmingham hyd nes cafwyd pen ei lletywraig ar ben draw'r stryd ar ôl i fom daro'r tŷ lle yr oedd hi'n aros tra roedd hi yn ei gwaith.

I feddwl fod dillad merched a gwallt dynes wedi cael eu tynnu ac un ddynes bron â chael ei lluchio i afon Dwyfor gan ddynion a oedd mor anaeddfed â methu dioddef y syniad o ferched yn gyfartal â dynion, a Nain yn ddynes ifanc ar y pryd yn 1912. Fel y swyddogaethau caeth sydd o fewn nyth morgrug, doedd hawliau merched ddim ond yn cael eu cydnabod pan oedd angen eu llafur wrth i nifer y milwyr meirw gynyddu.

Fel rhyw ddarlun argraffiadol, nid oedd lliwiau bodolaeth mor wahanol yn Rwsia. Ond digon o waith fy mod yn meddwl am hawliau merched pan ofynnodd Catia i mi ddod i gyfarfod ei chwaer hynaf, Lwdmila. Roedd ei chwaer wedi byw ym Moscfa drwy'r rhyfel, meddai wrthyf tra roeddem yn eistedd ar y bws a grwydrai o dow i dow rhwng yr aceri o fflatiau uchel. Cyfnither yw Lwdmila mewn gwirionedd, meddai Catia, hen arferiad ganddynt yw galw cyfnither yn chwaer.

Cyn hir a hwyr yr oeddem wedi cyrraedd y stop priodol. Ni wyddwn i lle'r oeddem oherwydd ein bod wedi sgwrsio ar hyd y ffordd ac ni chymerais sylw o'r daith. Cerddasom ar hyd balmentydd stad undonog am beth amser cyn cyrraedd y bloc fflatiau cywir.

Ond doedd yna ddim byd undonog am groeso Lwdmila:

'Dewch i mewn, dewch i mewn, allan o'r oerni 'na'.

I mewn â ni gan dynnu'u hesgidiau a Lwdmila yn estyn slipars i ni.

'Rowch y rhain am eich traed a dewch i eistedd fan hyn.'

'Dach chi'n ddigon cynnes?'

'Cymerwch banad.'

Yr oedd y *samofar* yn barod, *farenie,* math o jam, ar y bwrdd. Diflannodd y ddwy 'chwaer' i mewn i'r gegin. Edrychais o'm cwmpas. Roeddwn yn eistedd mewn ystafell fechan syml ar soffa a oedd yn troi'n wely gyda'r nos a charped dwyreiniol hardd yn addurno'r wal. Daeth y ddwy yn ôl o'r gegin gyda phlatiau o *borscht,* bara rhyg a menyn.

'Dowch rŵan, bwytewch, dwi ddim eisiau gweld dim byd ar ôl, bwytewch yn iawn rŵan. Mae pob dim 'da ni angen gennym.'

Ofnais fod Lwdmila wedi gwagio ei chwpwrdd yn gyfan gwbl ar ein cyfer.

Wedyn, ar ôl paneidiau o de a thamaid o deisen gaws, teimlwn fel petai fy stumog am bopian. Yn y cyfamser roedd Lwdmila wedi nôl albwm o luniau teuluol. Eisteddai'r tair ohonom ar y soffa, Lwdmila ar y naill ochr, Catia ar yr ochr arall, a minnau yn y canol.

Lluniau ffurfiol oeddynt, wedi eu tynnu ar achlysuron arbennig ac wedi eu cadw'n ofalus. Priodasau, genedigaethau a choffadwriaethau.

Dol Matrioshca a llyfr
hanes ffatri Colomenscii

Nid oedd y lluniau'n adrodd stori'r teulu, eu holl brofiadau, ni ddywedai'r wynebau llonydd ddim gair wrthyf. Nid felly i Lwdmila.

'Dyma fy nhaid,' meddai, 'ym myddin y Tsar,' gan bwyntio at lun o ddyn ifanc cryf, golygus yn sefyll yn syth fel procer mewn lifrau byddin y Tsar Alecsander. 'A dyma fy nhad,' meddai, 'yn y Fyddin Goch,' gan ddangos llun o ddyn ifanc cryf, golygus arall yn sefyll yn syth fel procer yn lifrau byddin goch Lenin.

'Am ddynion cryf golygus. Maen nhw'n edrych mor smart yn eu lifrau,' cynigais gyda pheth rhyfeddod wrth feddwl am y newid gwleidyddol a adlewyrchid gan lifrau byddin Alecsander a Lenin. Fedrwn i ddim dechrau dychmygu pa ddylanwad yr oedd y newidiadau gwleidyddol hyn wedi'u cael ar fywydau pobl fel Lwdmila a Catia.

Dywedodd Catia wrthyf fod Lwdmila wedi byw ym Moscfa trwy'r Ail Ryfel Byd, trwy'r holl fomio a lladd, tra ei bod hi wedi ei hanfon i Tashcent fel faciwî. Nid oedd Lwdmila wedi bod yno erioed. 'Mae hi'n braf yno,' meddai Catia, 'tywydd braf cynnes, iaith hollol wahanol a llenyddiaeth a diwylliant cynhenid diddorol dros ben.'

'Efallai y caf i cyfle i fynd i weld Catia yno rhyw ddiwrnod,' ochneidiodd Lwdmila.

Gwyddwn fy mod wedi dechrau dyheu am eiriau Cymraeg neu Saesneg, roedd yr ymdrech o ddilyn y Rwsieg yn mynd yn drech na mi a fy mhen yn trymhau gyda blinder a'm corff yn swrth gan fwyd.

'Mae'r hogan wedi blino,' dwi'n siŵr mai dyna ddywedodd Lwdmila, a Chatia yn cytuno, a chyn bo hir yr oeddem ar fws yn anelu tuag adref eto, yn teithio trwy'r oerni a'r tywyllwch, ac yn ein gwlâu ac yn cysgu cyn pen dim a phopeth yn mynd i ebargofiant.

Cefais wahoddiad caredig arall gan Catia rhyw ddiwrnod i gyfarfod ei merch a'i theulu y tro hwn. Erbyn hyn yr oedd y tymheredd wedi disgyn yn is a rhaid oedd gwisgo llawer o ddillad i geisio cadw'n gynnes a fy het ffỳr bach cwningen cyn mynd allan i'r oerni a'r tywyllwch efo Catia. Prynais lyfr plant i roi'n anrheg i wyres Catia yn un o'r ciosgau a oedd i'w ddarganfod ar draws canol y ddinas. Newid bws sawl tro a chyn hir roeddem wedi cyrraedd y stop priodol. Unwaith eto yr oeddem yng nghanol stad fawr o fflatiau uchel. Rhan arall o Foscfa y tro hwn.

Cerddasom eto ar hyd palmentydd stad undonog am beth amser cyn cyrraedd y bloc cywir. Roedd y palmentydd wedi eu cracio gan yr oerni a mymryn o oglau carthffosiaeth yn codi fel nwy.

Yr oedd fflat fechan merch Catia yn gynnes a glân, digon tebyg o ran ei faint i fflat Lwdmila. Yma hefyd roedd yna garped dwyreiniol ar y wal. Edrychai merch Catia fel fersiwn ifanc ohoni – dynes dlos, wyneb crwn a chorff cryf. Yr oedd ei gŵr yn fain fel ei fam, a oedd hefyd yn byw yno. Edrychai'r eneth fach yn eiddil. Roedd ei llygaid yn edrych arnaf yn llawn chwilfrydedd.

'Helô,' dywedais wrth wyres Catia.

'Helô,' meddai hithau.

'Fy enw i yw Wendy,' meddais, 'be di dy enw di'?

'Natalia,' meddai , 'pam dach chi'n siarad yn rhyfedd'?

Mewn dim o amser yr oedd Natalia wedi dringo ar fy nglin yn gofyn i mi ddarllen stori iddi. Darllenais y stori yn fy Rwsieg gorau gan drio dyfalu ystyr ambell air.

'Pam dach chi'n siarad mor rhyfedd?' gofynnai Natalia eto yn ei llais bach plentyn a'i thonyddiaeth yn hyfryd o berffaith a chlir fel plant ym mob iaith.

'Dwi ddim yn dod o Rwsia,' eglurais, 'dwi'n Gymraes.'

'Mam, pam mae hi'n siarad mor rhyfedd?'

'Natalia, tydi Vendi ddim yn siarad yn rhyfedd, dysgu siarad Rwsieg mae hi,' meddai ei mam.

Eisteddasom o gwmpas y bwrdd oedd wedi ei osod efo caws a bara a theisen, te a *farenie*.

'Mae pob dim 'da ni ei angen gennym,' meddai Catia.

Yr oeddwn wedi clywed y geiriau yma droeon ers i mi gyrraedd, geiriau o werthfawrogiad a bodlondeb.

Nid yn aml roedd Catia a'i merch Nadezhda yn gweld ei gilydd. Mewn dim roeddynt yn eu byd eu hunain yn sgwrsio fel petai'n nhw'n codi pwythau eu bywyd i'w gwau hyd at y presennol. Pensaer oedd Nadia, yn cynllunio estyniad i linell y Metro.

'Wyddoch chi,' meddai Nadezhda a'i llais yn codi, 'mae'r dynion yn cael eu talu mwy na fi am yr un gwaith a finnau â chymwysterau cystal â nhw!'

Yr oedd cenhedlaeth Catia yn gwybod sut oedd pethau ar ôl y rhyfel. I genhedlaeth Nadezhda roedd y disgwyliadau'n wahanol, fel fy rhai fi fy hun mwy na thebyg.

Nid oedd y Metro fel unrhyw Fetro a welais erioed o'r blaen. Disgynnai'r grisiau symudol i lawr i grombil y ddaear gan ddangos trysor o gelf, dylunio a ffrwyth llafur caled tu hwnt i fy nychymyg. *Maiacofscaia, Nofocusnetscaia, Ploshchad Refolwtsii, Ciefscaia* – orielau tanddaearol crand a themâu artistig yn adlewyrchu cefn gwlad a'r chwyldro, themâu cyfarwydd i'r teithwyr cynnar hynny, newydd-ddyfodiaid o'r ardaloedd gwledig ac i weithwyr eraill a oedd yn gyfarwydd â'r Chwyldro yn y ddinas. Roedd gan orsaf Arbatscaia hyd yn oed *chandeliers*, ac roedd Comsomolscaia yn fwy tebyg i neuadd ddawnsio grand na gorsaf drên!

Daeth yr amser i ffarwelio a mynd yn ôl at y gwaith roedd yn rhaid i mi ei orffen erbyn y borea wedyn. Cynigodd Catia ddod gyda mi ond yr oedd hi'n amlwg angen mwy o amser efo'i merch a'i hwyres fach. Rhoddodd Catia gyfarwyddiadau ar gyfer dal y bws cywir a chefais sws fawr a fy nghofleidio gan Natalia fach cyn mynd allan, ond fe anghofiais y cyfarwyddiadau a mynd ar goll a sefyll yn yr arhosfan bws anghywir.

Sefais am beth amser wedi blino'n lân yn y tywyllwch a'r oerni cyn i'r bws ddod. Teimlwn mor oer fel yr oeddwn yn barod i fynd ar unrhyw fws i gynhesu ac mae'n rhaid i mi mai dyna beth a ddigwyddodd. Yr oedd yna ychydig o bobl ifainc yn eistedd yn y cefn, ac nid oeddynt lawer iau na mi. Edrychai'r gyrrwr arnynt o bryd i'w gilydd yn y drych – fel petai o'n ofni eu bod am ddechrau codi reiat.

Roeddwn wedi dechrau pendwmpian a cholli syniad o amser ond codais fy mhen yn sydyn gan amau fy mod wedi methu fy stop. Gofynnais i'r dreifar a chadarnhaodd hynny gan gyfeirio'i law at ryw ddau arhosfan yn gynharach. Daeth chwerthin o gefn y bws.

O rargian annwyl dad, meddyliais wrthyf fy hun. Cododd un o'r hogiau o gefn y bws a cherddodd yn simsan ataf yn drewi ychydig o ryw gwrw neu fodca gan ddweud:

'Wnai dy gerdded chdi adref, tyrd.'

A dyna a wnaeth, chwarae teg iddo, fel angel, tair milltir dros garped mân o eira gwyn. Cerddodd fi adref gan siarad yn ddi-baid am bêl-droed, pwnc na wyddwn i'r nesa peth i ddim amdano, ar wahân i enwau timau. Troediasom ein dau yn raddol trwy bob enw tîm pêl-droed y medrwn gofio, Everton, Liverpool, Manchester United, Tottenham Hotspur ... a chefais wybod am y timau cynhenid, Dinamo a Spartac.

Ymadawodd Pafel â fi yn hollol foneddigaidd wrth ddrws neuadd y coleg cyn mynd yn ei flaen gan simsan gerdded ar y carped o eira trwchus. Edrychais arno nes iddo ddiflannu o'm golwg mewn niwl o lwch gwyn. Be faswn i wedi ei wneud hebddo ond rhewi'n gorcyn.

Pentyrru wnaeth yr eira yn uwch ac yn uwch. Wrth fynd heibio safle adeiladu ar y ffordd o'r llyfrgell un diwrnod, sylwais ar rywbeth nad oeddwn i erioed wedi sylwi arno o'r blaen er i mi fynd heibio'r safle droeon. Llafuriai'r gweithwyr yno ym mhob tywydd, eu hwynebau'n llosgi'n goch gan y barrug a mwg ambell i sigarét yn pluo i'r awyr. Gweithient fel dynion, edrychent fel dynion, ond y diwrnod hwnnw sylwais mai merched oeddynt, merched a'u crwyn wedi caledu gan y tywydd a'r gwaith a'u cyrff yn gyhyrog, yn ysmygu *papirosi*, sigaréts tebyg i Woodbine ers talwm.

Yr oeddwn wedi darllen am yr anghydbwysedd rhyw, yr holl ddynion a laddwyd yn yr Ail Ryfel Byd, ond nid oedd wedi fy nharo tan hynny. Absenoldeb dynion o'r oedran yna yn gadael yr holl *babwshci*, y 'neiniau', sef merched deugain a hŷn, i gynnal y wlad, gwlad o wragedd gweddwon, tadau colledig a meibion meirw.

'Mi wnaethom ni bara'n fyw' – un gair sydd amdano yn Rwsieg – *pirizhili*. Efallai y byddai 'bu inni oroesi' yn gyfieithiad digonol, ond does yna ddim gair yn union yr un fath yn Gymraeg, gair a oedd yn cael ei ddefnyddio mor aml â dagrau hallt galar ynddo. Yr oedd cri'r meirw yn y llyfrau yr oeddwn yn ymdrechu'n galed i'w darllen yn fud, ond yr oedd y galar yn yr awyr. Mynd i fy ngwely'n llawn tristwch wnes i'r noson honno.

Sefais yn disgwyl bws un diwrnod pan ddigwyddodd merch gychwyn sgwrsio â mi. Cefais hi'n anodd ei deall yn siarad â cheisiais ganolbwyntio ar ei geirfa'n astud. Wel, mae'r eirfa yma'n anodd meddyliais wrthyf. Efallai i'r ferch sylweddoli fy mod i'n cael trafferth ei deall. Aeth ati i egluro'n fwy manwl gan ddefnyddio ei dwylo i greu darlun i egluro'r gweithgaredd. Cyrhaeddodd y bws ac erbyn i ni ddringo arno daeth

Cardiau dathlu Diwrnod Rhyngwladol Merched ar Fawrth yr Wythfed

yn glir i mi beth oedd y ferch yn ceisio ei drafod. Rhyw ac atal cenhedlu.

Daliodd y ferch ati i ddefnyddio ei dwylo i greu darlun reit fanwl o'r pwnc ac mi wnes i ddod yn fwy cyfarwydd â'r eirfa. Yr oeddwn i a gweddill y teithwyr ar y bws yn gynulleidfa gaeth. Nid oedd y ferch eisiau cael deg o blant fel oedd yn cael ei annog gan y Wladwriaeth, er gwaethaf y cynnig o fedal arwres mamolaeth, ond ar y llaw arall yr oedd hi'n anodd iawn cael cyfarpar gwrth genhedlu.

'Dach chi'n gweld,' meddai'r ferch, 'mae'r llywodraeth eisiau ni gael lot o blant Rwsiaidd, mwy na mae nhw'n eu cael yn y gweriniaethau eraill yn ein gwlad.'

'Deg o blant a buaswn yn cael medal, ond pa ddyn fasa'n medru cadw deg o blant a finnau adref i edrych ar eu hôl?'

Ni ddywedodd neb ddim ar y bws. Efallai fod pawb yn gytûn. Cyrhaeddodd y bws fy stop a chododd y ferch ei llaw arnaf nes i'r bws fynd o'r golwg.

Fel y soniais, roeddwn wedi dod yn ffrindiau efo Ania, merch o wlad Pwyl. Penderfynodd y ddwy ohonom fynd i weld Zhanna Bitshefscaia[9] yn canu caneuon sipsïaidd.

---

9 Zhanna Fladimirofna Bitsefscaia – cantores werin o Foscfa

Dywedais wrthi am y ferch ar y bws.

'Mae'r rhan fwyaf o ferched yn cael erthyliad,' dywedodd Ania wrthyf.

'Yng ngwlad Pwyl hefyd?' gofynnais, ond ni chefais ateb.

Gwisgai Ania'n ddeniadol a modern fel y rhan fwyaf o'r merched ifanc a welais yn y ddinas. Yn y siopau wedyn, sylwais fod y dillad yn ddifrifol o ddrud ac yn hen ffasiwn, gyda'r defnyddiau yn drwm a'r patrymau wedi gweld ei dyddiau gorau. Gofynnais i Ania am y paradocs.

'Ania?'

'Ia?'

'Ydy'r dillad sydd ar werth yn siopau gwlad Pwyl yn fwy modern nag yma?'

'Ydyn.'

'Sut mae genod yma'n gwisgo'n ffasiynol felly?'

'Y farchnad ddu, fwy na thebyg, ac mae lot o genod yn dda am wnïo, wsti.'

'O'.

Roedd y cyngerdd yn llawn dop a phawb wedi mopio gyda llais trawiadol nodedig Zhanna Bitshefscaia. Dringai ei llais clir, pwerus, dwyreiniol i mewn i gymeriad ei chaneuon gwerinol. Safai ar y llwyfan gyda'i gwisg liwgar a'i gitâr yn cyflwyno un gân ar ôl y llall. Aeth y ddwy ohonom adref dan ganu, y fi'n chwilota am eiriau caneuon gwerin Cymraeg ac Ania'n byrlymu trwy ganeuon Pwyleg a chaneuon Doris Day.

Ymolchais yn yr ystafell ymolchi fechan a rannwn efo Catia. Nid oedd gan y bath bychan na'r sinc blwg ac yr oeddwn wedi dod ag un efo fi'n bwrpasol. Roedd defnyddio plwg yn cael ei ystyried yn arfer budr yno oherwydd ei fod o'n atal rhediad dŵr glân. Eisteddais yn fy nŵr budr, felly, gan geisio rinsio fy hun o dan y tap ar ôl teimlo fod yna rywfaint o resymeg yn y ddadl.

Golchais fy nillad gyda'r nos a'u hongian uwchben y bath i sychu. Byddent yn sychu'n hawdd gyda system wresogi hael yr adeilad. Roedd hi'n anodd prynu past dannedd ond roeddwn wedi dod â pheth gennyf fi o Gymru. Ni welais badiau misglwyf ar werth yn unman. Roeddwn yn amau mai cadachau yr oedd merched yn eu defnyddio fel y bu cenhedlaeth

fy mam yn eu defnyddio pan oedd hi'n ifanc. Ni theimlais fel gofyn
i Catia beth oedd yr arferiad yno, nid yn gymaint oherwydd swildod,
ond i osgoi codi unrhyw embaras nad oedd y ddarpariaeth ar gael yn
y siopa fel yn y 'Gorllewin'. Torrais fy ngwallt fy hun, yn gwta fel hogyn
bron. Yr oedd yna ddigon o siopau trin gwallt ond yr oedd rhaid i mi fod
yn ofalus gyda'r *copeci*.

I gael seibiant o'r astudio, euthum i'r arfer o fynd am dro i'r 'parc
coedwig' a oedd wrth ymyl. Roedd y parc fel petai o wedi ei gerfio allan
o goedwigoedd enfawr y wlad. Yno tyfai'r pin a'r bedw nodweddiadol
ac ymlwybrai trigolion y ddinas ar hyd y llwybrau fel petaent erioed
wedi ymadael â'u gwreiddiau gwledig.

Rhedai ambell ddyn ifanc heibio yn gwisgo trowsus yn unig, eu croen
noeth yn sgleinio'n goch yn yr oerni. Cerddai ambell i *babwshca* fraich
yn mraich, yn simsanu ychydig ar eu coesau llydan, llawn, chwyddedig.
Roedd yna deuluoedd ifanc yno gyda'u plant, wedi'u lapio gymaint yn
erbyn yr elfennau nes iddynt edrych fel peli bach yn barod i fownsio os
byddent mor anffodus â disgyn.

Yr oedd hi'n nesáu at y Nadolig ac nid oedd peryg peidio cael Nadolig
gwyn. Gorweddai'r eira ar y palmant cyn uched â tho tŷ. I ddal bws bellach
roedd rhaid sglefrio i lawr yr eira tuag at y lôn. Erbyn hyn, roedd y parc
coedwig yr hoffwn gerdded yno yn hudolus wyn, y coed wedi rhewi'n
gorcyn ac yn drwm dan eira a rhew. Cerddwn yno'n rhyfeddu un diwrnod,
yn rhannu'r llwybr troellog rhwng y coed gydag un neu ddwy *babwshca*
a oedd yn cerdded o fy mlaen. Ar ôl siglo cerdded tuag ato ar ei choesau
chwyddiedig safodd un *babwshca* wrth ymyl llyn. Mewn dim yr oedd hi
ar ei arwynebedd gwydr ac esgidiau sglefrio am ei thraed. Yr oedd ei
cherddediad sigledig wedi diflannu a symudai fel angel o ferch ifanc
yn rhydd fel petai'r blynyddoedd wedi hedfan, fel aderyn tân[10] ar yr ia.

Wrth ddod allan o'r Metro un noson trewais ar hen wreigan yn sefyll
yn y danffordd yn gwerthu hadau blodau'r haul, yn boeth yn eu plisgyn
ac wedi eu lapio mewn papur newydd. Roedd ganddi siôl dros ei phen

---

10 Aderyn tân, cerddoriaeth gan Strafinsci,
hefyd yn destun llên gwerin Slafig.

ac o gwmpas ei gwddf, a gwisgai gôt aeaf hir yn ôl ffasiwn y pumdegau. Cotiau felly oedd yn gyffredin ymysg merched hŷn. Ffasiwn blynyddoedd eu hieuenctid efallai, pan yn ferched ifanc. Nid edrychent yn ddigon cynnes i mi. Prynais fag papur newydd o hadau blodau'r haul, rhoddais o yn fy mhoced a cherddais y filltir olaf heb oedi. Yr oedd hi'n oeri mwy. Rhewai ager fy anadl gan ludo fy sgarff wrth fy ngheg. Tynnwn fy sgarff yn rhydd o dro i dro a thynnwn ychydig o groen fy ngwefus efo fo. Meddyliais am yr hen wreigan yn sefyll yn yr un fan yn gwerthu hadau blodau'r haul yn ei chôt denau a theimlwn fel crio.

Treuliais y noson cyn y Nadolig yn ystafell Ania a'i chyfoedion o wlad Pwyl. Fel y dywedodd Ania, nid oedd yna ganu na dawnsio ond noson dawel yn bwyta pysgod. Tybiais efallai mai ysbryd Catholig oedd i'r dathliad, ac roedd sgwrs y noson gan y merched yn cynnwys trafod gweithgareddau'r mudiad Solidarność.

Cefais atgof sydyn o'r daith drên trwy Wlad Pwyl o Fosfa yn 1980. Nid oeddwn wedi cael bwyd trwy'r dydd na'r diwrnod cynt. Nid oedd yn ymddangos fod bwyd ar gael. Y noson honno, efallai cyn cyrraedd Warsaw, gofynnais i'r dyn oedd yn gweithio yn y buffet car am banad o de a rhywbeth i'w fwyta heb air o iaith gyfarwydd rhyngom. Buasai hyn wedi bod yn ystod cyfnod cryf o brotest gan Solidarność a chyfnod economaidd anodd yn y wlad.

Rhoddodd baned o de du i mi a dangosodd dorth rhyg wedi mynd yn wyrdd ar ei phen. Ysgwydais i fy mhen i geisio dweud iawn diolch. Torrodd y tamaid gwyrdd i ffwrdd ar weddill yn ei hanner. Un hanner i mi ac un hanner iddo fo. Dyna'r frechdan orau a gefais erioed. Ni theimlais fel sôn am y profiad hwnnw wrth Ania. Fisoedd wedyn roeddwn yn cerdded allan o'r Feudwyfa, yr amgueddfa enfawr sydd wedi ei lleoli mewn rhan o'r Palas Gaeaf yn Leningrad, Roedd hi'n ddiwrnod o haul ac awyr las a chupolas aur y ddinas yn adlewyrchu dawns pelydrau'r haul fel symbol paganaidd ar grefydd yr Eglwysi Uniongred. Efallai fy mod i'n synfyfyrio ar y trywydd mai enaid dwyreiniol sydd yng nghapeli Cymru wrth ystyried y llwybr hanesyddol Beiblaidd trwy Rufain i Brydain a thrwy Constantinopl i Rwsia. A ninnau ferched a dynion yn eneidiau cyfartal, ac nad Cymro oedd Joseff na Chymraes oedd Mair.

Roeddwn yn pendroni dros ryw syniadau felly, am wn i, ac yn ogystal roedd y tywydd wedi troi. Niwl yn dod i mewn o'r Baltig. Niwl mawr llwyd a orchuddiai bob dim. *Bolshoi twman.* Yr oeddwn wedi clywed y geiriau yn aml. *Bolshoi* yn golygu 'mawr' fel y theatr ac wedyn y gair – *twman* – 'niwl'. Niwl mawr. Mae pob dim yn mynd yn niwl bellach, cymaint o flynyddoedd wedi mynd heibio. Ble oedd yr hen wreigan wedi'i lapio mewn siôl? Mewn pentref y tu allan i Foscfa ynte y tu allan i Leningrad? Dwi ddim yn cofio a dwi ddim yn hapus fy mod i ddim yn cofio chwaith. Gadawodd ei ôl arnaf.

Yr oedd hi'n chwipio bwrw eira. Aeth y bws â ni'r run fath yn union. Pentref â thai ac adeiladau pren syml wedi ei gadw yn amgueddfa i ddangos sut oedd pobl yn byw ers talwm. Mae pentrefi fel hyn yn bodoli o hyd, meddyliais, ond bod gwydr yn y ffenestri. Yr oeddwn wedi cerdded o gwmpas pentref felly a hwnnw ddim yn amgueddfa o gwbl, pobl yn byw yno a dynes yn cario dau fwced a oedd yn hongian y naill ochr a'r llall i'r iau a orweddai ar draws ei hysgwyddau. O gwmpas Chabarofsc efallai, neu Ircwtsc. Un o'r nifer o bentrefi felly a orweddai wrth ochr y rheilffordd, ar draws Sibir.

Safai'r hen wreigan mewn hen dŷ pren, y ffenestri'n ddi-wydr a'r eira fel blawd trwchus yn gorwedd ar y llawr. Hen wreigan anweledig mewn siôl. Nid oedd hi'n anweledig i mi. Safai yno ar ddyletswydd fel arwr yn gofalu am ystafell wag mewn tŷ heb ffenestri ac eira fel blawd o'i gwmpas.

'Sut dach chi?' gofynnais.

'Sut dach chi?' atebodd.

Wedi bod yn siarad am ychydig gofynnodd:

'Myfyrwyr yda chi?' Roedd yna lond bws ohonom o gwmpas y lle.

'Ia,' atebais, yn teimlo'n siomedig fod dynes o'i hoedran hi yn sefyll yn y ffasiwn oerni, mewn ffasiwn adeilad, gyda dillad mor annigonol.

'Wel, am dda,' meddai. 'Mae gennyf barch mawr at addysg, da iawn chi, mae'n gymaint o gamp i gael addysg, ardderchog,' meddai mewn llais addfwyn, parchus. Dim nodyn o genfigen, dim ond parch.

Edrychais ar ei hwyneb. Edrychai fel petai hanes mwyaf trist y wlad a'i phobl yn ymestyn fel cri o'i llygaid a'i hwyneb. Yr oerni, y caledi, y rhyfeloedd, y newyn, y canibaliaeth, y carthu mawr, y meirw, yr holl golledion a galar.

Beth oedd hi wedi ei weld yn ei bywyd? Beth oedd hi wedi ei oroesi yn ystod y cyfnod hanes creulon a brofodd?

Gogoneddai hi ni'r myfyrwyr, rhoddai glod i ni.

Rhwygai ei llais fy nghalon.

Beth oedd ei neges? Beth oedd ei chred?

Ai ni oedd i achub y ddaear?

Addysg a rheswm a roddai heddwch a gwledd i'r byd.

Y ni oedd y dyfodol.

O na fuasai gennyf gôt iddi hi. O na fuasai gennyf gadair iddi hi. O na fuaswn yn medru rhoi gwydr yn ei ffenestri a dodrefnu'r tŷ, neu fedru mynd â hi adref i gartref cynnes. Os wylo, wylo nes bod yna ddim dagrau ar ôl, am yr oerni, y caledi, y rhyfeloedd, y newyn, y canibaliaeth, y meirw, yr holl golledion a galar. Gwenodd arnaf wrth ddweud ffarwél a gadawsom ni hi yn sefyll yno, hen wreigan mewn siôl, mewn tŷ pren heb wydr yng nghanol lluchwynt eira a thymheredd cymaint is na'r rhewbwynt.

Ychydig wedyn, ffrwydrodd Chernobyl a chwythodd y gwynt law ymbelydrol dros bob man gan ddisgyn fel dagrau ar ein mam-ddaear.

Ble oedd rheswm rŵan?

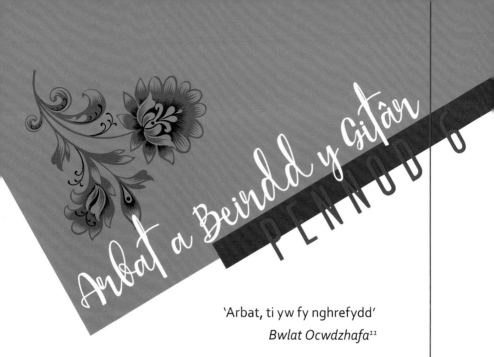

Arbat a Beirdd y Gitâr

PENNOD 6

'Arbat, ti yw fy nghrefydd'
Bwlat Ocwdzhafa[11]

Dwi'n chwynnu bedd fy mam yn yr hen eglwys. Sylwaf ar y pridd yn ffurfio arno – cymysgedd o ddail yr hydref a darnau mân o wair wedi eu lluchio gan y peiriant strimio. Rwyf yn gyfarwydd â chynifer o'r enwau ar gerrig beddi'r fynwent ac mae hi'n oer ac mae fy esgyrn yn brifo. Nid wyf eisiau oedi mwy a cherddaf heibio'r cysgodion hir yn ôl ar draws y cae gan edrych ar yr haul yn suddo tuag at y gorwel i'r gorllewin o'r man lle mae'r mynyddoedd yn disgyn i'r môr. Mae'n well gennyf bridd o dan fy nhraed na phafin ac mewn tref mae'n well gennyf y mannau hynny lle mae hen wreiddiau'r trigolion gyda'u cipolygon o leisiau'r gorffennol fel rhyw eilydd gwan i'r hanes llafar nad yw'n bodoli bellach.

Wn i ddim pryd oedd y tro cyntaf yr es i'r Arbat. Nid oedd yn bell iawn o Lyfrgell Genedlaethol Lenin ar hyd Prospect Calinina, mor agos nes bod Prospect Calinina rŵan yn cael ei galw yn Rhodfa Newydd Arbat. A dwi'n siŵr mai dyna a wnes i, cymryd tro i mewn yno er mwyn chwilio am siopau llyfrau, fwy na thebyg, wrth fynd i'r Llyfrgell , neu wrth ddod allan ohoni.

---

11 Y bardd-ganwr Bwlat Ocwdzhava (1924–97)

Yng nghyfrol y Mawdsleys *Blue Guide to Moscow and Leningrad* dywedwyd bod y ffordd trwy'r Arbat yn rhan o'r briffordd rhwng Moscfa a'r gorllewin ac mai dyma'r ffordd a ddefnyddiwyd gan filwyr Napoleon i gyrraedd y Cremlin yn 'Rhyfel a Heddwch' Tolstoi. Gair Arabaidd am 'maestrefi' yw Arbat, meddent, a chyn i'r ardal ddod yn ffasiynol gyda'r boneddigion, llyncwyd yr ardal gan drigolion llys Tsar Ifan yr Ofnadwy yn yr unfed ganrif ar bymtheg gan waredu'r trigolion blaenorol. Adlewyrchir y llys yn enwau nifer o'r strydoedd: *Saerbren Per.* (Y Lôn Arian), *Staroconyushennii Per.* (Lôn yr Hen Stablau) a *Plotnicof Pr.* (Lôn y Seiri Coed).

Bu bardd enwocaf Rwsia, Alecsander Sergeiefitsh Pwshcin (1799– 1837), yn byw yn rhif 53 Stryd Arbat yn 1831. Yno yr oedd yn byw pan briododd Natalia Gontsharofa, a chael ei ladd mewn gornest drosti ddim ond ychydig o flynyddoedd wedyn. Ar ochr ei fam, gallai olrhain ei wreiddiau hyd at dywysog o Affrica a gafodd ei ddanfon yn anrheg i Pedr Fawr. Darganfyddwn enw Pwshcin ymhobman, o'r palas sy'n dwyn ei enw a safai yn Tsarscoie Selo ger Leningrad, i'r amgueddfa gelfyddyd gain a'i chasgliad anhygoel o ddarluniau argraffiadol Ffrengig yng nghanol Moscfa.

Darluniau gan Pwschin ar gyfer 'Stori y Ceiliog Aur' a 'Carcharor Cafcas'.

Mewn siop yng Nghaernarfon yr oeddwn pan ddois ar draws ei gerdd 'Fe'th gerais', cerdd boblogaidd iawn yn Rwsia. Roedd yna ymwelydd mewn siop angen ychydig o gymorth i brynu rhywbeth a mynnai ysgrifennu'r geiriau canlynol gan Pwshcin yn frysiog cyn mynd am ei fws dwristiaid ar y cei, geiriau gyda naws ffres, syml a chlir.

'Rhaid i chi ddarllen Pwshcin,' meddai wrth ffarwelio.

A dyma'r geiriau'r gerdd a roddodd i mi yn Rwsieg:

Fe'th gerais

Fe'th gerais, ac efallai fe'th garaf eto.
Mae yna fflam sydd heb ddiffodd yn fy enaid,
Ond ni ddylai honno dy boeni mwyach.
Ni fynnaf beri gofid i ti.
Fe'th gerais yn ddistaw ac yn ofer,
Ar brydiau'n swil, ar brydiau'n genfigennus.
Fe'th gerais yn annwyl ac yn driw
a boed i Dduw anfon un i'th garu felly eto.

Flynyddoedd wedyn dois ar draws y geiriau yn cael eu canu gan Oleg Pogudin ar alaw ramantus wedi ei chyfansoddi gan Boris Sergeevich Sheremetef (1822-1906). Ysgrifennai Pwshcin mewn cyfnod o deithio ar gefn ceffyl neu mewn coets. Dyna pam mae'r gorsaf-feistr yn ei stori fer o'r un enw, 'Y Gorsaf-feistr', yn ymwneud â cheffylau ac nid trenau, cyfnod defnydd y *troica* – y sled a oedd yn cael ei thynnu gan dri cheffyl. Nid bloedd chwib y trên a oedd i'w glywed, ond sŵn dyrnu carnau ceffylau a sŵn y clychau ar eu harnais trwy dywyllwch dwfn y nosweithiau gwyn o eira. A dyna lle cawn Dunya, merch y gorsaf-feistr, yn cynnau'r *samofar* ac yn estyn hufen i wneud te ar gyfer swyddog y fyddin a oedd yno i newid ei geffyl ar gyfer ei siwrne. Buasai'r Arbat yn oes Pwshcin yn fwrlwm o goetsys crand a cheffylau a gweision stablau.

Erbyn i mi ddarganfod yr Arbat, roedd hi'n anodd anwybyddu cyflwr gwael yr adeiladau o'i gymharu â'i grandrwydd blaenorol. Teimlai fel petai'n rhoi ei anadl olaf. Roedd rhaid cerdded dros ystyllod a orweddai dros byllau dŵr ac roedd nifer helaeth y siopau wedi cau. Cerddais yn ofalus dros yr ystyllod uwchben y tyllau yn y lôn, rhwng nifer o siopau gwag, llwm a llychlyd ar arwydd 'Na remont' yn hongian arnynt –arwydd yn dweud eu bod nhw'n cael eu hatgyweirio. Teimlai i mi fel petai'r Undeb Sofietaidd i gyd yn cael ei atgyweirio.

Arhosais i brynu gwydriad o *cfas*, y cwrw dialcohol, ac ychydig o *pelmeni* gan ddynes yn gwisgo sgarff a chôt wen. Roedd y *pelmeni* yn cael eu cario ganddi mewn sosban alwminiwm gyda dolen fel dolen bwced. Roedd y sosban yn llawn dŵr hallt berwedig a'r *pelmeni* ynddo. Twmplenni oedd y rhain wedi eu gwneud o does a allai gael eu llenwi gyda chig mân, pysgod, madarch neu lysiau – heb fod yn annhebyg i rafioli yr Eidalwyr. A dyna lle roeddwn yn sefyll yn bwyta *pelmeni* ac yfed *cfas*, yn edrych ar y bobl yn mynd a dod, yr hen adeiladau, y tyllau a'r pyllau yn y lôn a'u hystyllod a dyma sylwi fod yna siop lyfrau a oedd yn dal yn agored.

Penderfynais ymlwybro tuag ati gan obeithio darganfod llyfrau craidd ar destun fy nhraethawd hir. I mewn â mi i bori trwy'r testunau. Straffaglu darllen trwy lyfr hanes ar yr economi yr oeddwn ac yn ceisio penderfynu os oedd yn addas i'm hanghenion neu beidio pan glywais ffrae yn dechrau – dau neu dri dyn yn eu chwedegau hwyr yn dadlau efo rheolwr y siop. Yr oedd un gŵr yn mynd trwy ffeil fawr o bosteri a oedd ar werth, posteri cyn arlywyddion y wlad.

'Pam nad oes gennych chi ddim llun Stalin a hwnnw wedi gweithio mor ardderchog drosom a lluniau pob arlywydd arall gennych?'

'Mae'r peth yn warthus!'

'Dyma lun Lenin, Crwshtshiof, dyma lun Breshnef, dyma lun Andropof ... pam felly ddim ein Stalin?'

'Heb Stalin ni fuasai neb yn medru darllen y llyfrau,' bloeddiodd gŵr arall mewn *shapca* du go smart.

Dyna'r adeg yr oedd y dynion hyn wedi dysgu darllen efallai, meddyliais. Anodd oedd coelio cyn lleied o bobl a oedd yn medru darllen yn Rwsia yn y tridegau. Adeg honno roedd y rhan fwyaf o'r boblogaeth yn anllythrennog. Efallai eu bod yn cysylltu rhaglenni dysgu darllen y llywodraeth yn uniongyrchol gyda Stalin. Amhosib i mi oedd derbyn y gallai un person fod â chymaint o rym, fel ei fod ef, ac ef yn unig, yn dylanwadu ar seicoleg y cyfnod. Ni chlywais ymateb rheolwr y siop ac erbyn i mi wneud y penderfyniad i brynu'r llyfr roedd y dynion wedi mynd.

Flynyddoedd wedyn deuthum ar draws y nofel *Children of the Arbat* gan Anatoli Rubacof a gafodd ei gyhoeddi yn 1987 pan oedd Rubacof yn ei saithdegau hwyr, gyda'r cyfieithiad Saesneg yn ymddangos yn 1988. Mae'n llyfr sy'n rhoi cipolwg ar seicoleg cyfnod o greulondeb, dioddefaint a lladd yn enw'r Wladwriaeth. Brodor o Tshernigof yn yr Wcráin oedd Rubacof, wedi ei eni i deulu Iddewig, cyn symud gyda hwy i Foscfa ac ymgartrefu yn yr Arbat. Fel arwr ei lyfr, Sasha Pancratof, aeth ymlaen i astudio peirianneg; ond yn 1933, pan oedd yn dal yn fyfyriwr, cafodd ei garcharu yn Sibir am dair blynedd am wneud datganiadau 'tanseiliol' am ffawd hogiau'r Arbat yn ei lyfr.

Er gwaethaf ei ddioddefaint, fel ei arwr Pancratof, ond yn annhebyg i Winston Smith druan yn llyfr George Orwell *1984*, roedd Rubacof yn dal i gredu bod y system gomiwnyddol yn bosib. Cafodd ef a'i waith ei weld yn symbol llenyddol o'r cyfnod '*glasnost*', yr ymdrech yn yr wythdegau hwyr o dan Gorbatshef i gael llywodraethu agored a gonest. Bu farw Rubacof yn 1998. Ond wrth i mi droedio'r Arbat y pryd hwnnw, ni wyddwn am ddioddefaint cymaint o hogiau'r Arbat.

Rwyf yn cofio pa mor galed yr oeddwn angen gweithio yn y dosbarthiadau Rwsieg yn y coleg a theithio i Lyfrgell Genedlaethol Lenin gyda'r nos i lafurio dros fy nhraethawd hir. Cyn cychwyn am y llyfrgell buaswn wedi twtio ar fy ôl yn yr ystafell, mae'n siŵr, ac wedi lapio fy hun mor gynnes â phosib, gan gynnwys tri phâr o sanau fel yr oedd y tywydd yn oeri. Roeddwn bron â chrio y tro yr anghofiais wisgo'r parau ychwanegol. Erbyn i mi gyrraedd giât allanol y coleg ni fedrwn deimlo fy nhraed a bu'n rhaid hercian yn ôl i mewn ac i fyny'r grisiau i lawr 13 i wisgo'r sanau ychwanegol. Roeddwn wedi cael cyngor 'os gweli di giw, ymuna ag o'. Cyngor ar gyfer prinder bwyd a nwyddau oedd ymuno â chiw heb wybod beth oedd ar ei ddiwedd. Yn fuan wedyn ciwiais yn amyneddgar am ddwy awr am un lemon.

Anaml y byddai yna lawer o giw am fara, diolch i'r drefn efallai, wrth ystyried Chwyldro 1917, a daw geiriau adnabyddus Marie Antoinette 'Let them eat cake' i fy meddwl. Yn fuan iawn sylwais fod angen mynd â bag efo fi i siopa oherwydd ychydig iawn o bapur lapio a bagiau oedd ar gael. Nid oedd y gymdeithas wastraffus sydd wedi creu cymaint o niwed i'n planed wedi cyrraedd yno; nid oedd yna sbwriel ar y strydoedd, yn wir roeddynt yn hyfryd o lân.

Absenoldeb marchnata a'r angen i flaenoriaethu adnoddau prin, efallai, a oedd yn gyfrifol am gyn lleied o sbwriel. Nid oedd rhaid marchnata nwyddau yn y siopau gwladwriaethol, nid oedd yna gystadleuaeth, y 'Wladwriaeth' oedd yn cynhyrchu pob dim. Nid oedd yna hysbysebion yn unman. Dim golau yn fflachio na geiriau'n tynnu sylw neb i brynu hyn neu'r llall. Yn lle hysbysebion yr oedd yna arwyddion yn pregethu, yn annog ymrwymiad y bobl ar eu taith i gomiwnyddiaeth trwy gyflawni'r cynllun pum mlynedd.

Crwydrais o gwmpas siopau canol y dre a chredaf mai mewn siop ar Stryd Gorci yr oeddwn pan ymunais â chiw yn ufudd ac ar ôl tuag awr o sefyll cyrhaeddais gownter lle gwelais ddigonedd o wyau. Roedd rhaid hefyd ciwio ddwy waith wedyn, un waith am docyn ar gyfer beth roedd rhywun wedi ei weld, ac yna trydydd ciw i brynu'r cynnyrch! Yr oeddwn wedi gwirioni nes i mi gofio fy mod i wedi dod heb fag. Er gwaethaf hynny, yn llawn ffolineb, penderfynais brynu deg wy a lapiodd y wreigan y tu ôl i'r cownter nhw mewn stribyn hir cul o bapur tenau brown golau, golau.

Dechreuais sylwi fy mod i wedi gwneud camgymeriad wrth i mi gerdded am y troli bws yr oeddwn angen ei ddal i fynd at y stop Metro priodol. Wrth gwrs yr oeddwn yn gyfarwydd â'r awr frys. Roeddwn wedi gweld o dro i dro, ambell i fraich neu goes neu damaid o gôt yn sticio allan o ddrysau caeedig bws neu droli bws a phennau'r teithwyr yn cael eu hysgwyd oddi mewn wrth i'r cludiant symud.

Daeth y geiriau 'gwell un wy cyflawn mewn llaw na deg wedi malu ar fy mron' i fy mhen wrth i mi gael fy stwffio ar y cerbyd cyhoeddus. Cawsom fel un don ar ôl y llall, ein gwthio'n haenau i'r cefn. Codais fy wyau bregus yn eu stribyn o bapur uwch fy mhen gan dderbyn cynnig cyd-deithiwr i chwilota am newid yn fy mhoced ar gyfer tocyn bws. Llwyddodd rhywun estyn y pump *copec* angenrheidiol o'r arian mân ym mhoced fy nghôt i'w basio dros bennau pawb am docyn o'r ffrynt gyda'r geiriau angenrheidiol yr adeg honno: '*Piridaite mnie poshalst'a*' neu 'pasiwch o ymlaen os gwelwch yn dda'. Felly yr oedd pawb yn helpu ei gilydd, pawb yn estyn eu pump *copec* a phasio fo i bobl eraill i estyn tocyn ac wedyn yn pasio'r tocyn yn ôl. Ar ôl cyrraedd adref, rhoddais yr un wy cyflawn mewn man diogel a gweddillion ambell i wy mewn cwpan cyn mynd ati i olchi blaen fy nghôt.

Wrth i'r gaeaf fynd yn ei flaen roedd hi'n mynd yn oerach. Roedd ein llefrith wedi rhewi'n gorcyn ar sil y ffenestr ac yn anodd ei ddadmer, neu, fel arall, yn suro yng ngwres yr ystafell.

Roedd hi'n boenus o oer un noson, minws 22C, a cherddais yn gyflym i geisio cadw'n gynnes a dal y bws i'r llyfrgell. Eisteddais gyda'm cyd-deithwyr arno yn rhyfeddu ar allu'r trigolion i wrthsefyll yr oerfel nes i mi feddwl am Charles Darwin a 'Survival of the Fittest'. Gafaelais yn fy nghôt dyffl o gwmpas fy ngwddf a'i thynnu'n nes at fy nghroen.

Roedd y Metro reit llawn fel arfer. Gan fod yn wyliadwrus o'r drysau'n agor a chau, neidiais arno, ac i ffwrdd â'r trên nes cyrraedd y stop angenrheidiol ac anelais am Lyfrgell Genedlaethol Lenin. Roedd dau warchodfilwr wrth y drws i sicrhau fod fy mag yn ddiniwed a gweinyddwr

Llyfrau ar gyfer fy nhraethawd hir a fy nhocyn darllen Llyfrgell Genedlaethol Lenin

yno hefyd i roi'r ffurflen gywir i mi i'w llenwi er mwyn cael cerdyn darllen. Cefais hyd i'r llawr cywir a cheisiais ofyn am lyfr. Roedd y llyfrau i gyd y tu ôl i'r cownter ac felly'n amhosib pori trwyddynt yn hamddenol a chwilio am eiriau allweddol.Roedd rhaid edrych yn fanwl trwy fynegai cardiau a cheisio dyfalu os oedd y llyfr yn berthnasol ai peidio. 'Rargian annwyl dad, sut ar y ddaear dwi am 'sgrifennu'r traethawd hir efo'r ffasiwn system, mae hi'n ta ta arna'i,' meddyliais.

Ar ôl nosweithiau o'r drefn hon, darganfûm mai dim ond un ffordd oedd yna, ac es heibio'r cownter i'r staciau yn y cefn i bori trwy'r llyfrau a chwilio am eiriau allweddol a gwneud nodiadau ar gyfer fy nhraethawd. Daeth y llyfrgellwyr, am wn i, i arfer efo fi'n diflannu i mewn i'r silffoedd i wneud fy nodiadau hyd at amser cau am naw o'r gloch. Beth bynnag, ni ddywedodd yr un ohonynt ddim wrthyf os oeddent wedi sylwi. Lapiais mor gynnes ag y medrwn cyn mynd am y Metro hyd ddiwedd y lein i'r de-orllewin a'r filltir olaf adref.

Yr oedd y filltir olaf wedi mynd braidd yn drech na mi wrth i'r tywydd oeri mwy. Cerddwn gydag un droed yn llusgo ar ôl y llall, yn uchel uwchlaw'r lôn ar yr eira caled. Safai'r fflatiau tal a'u preswylwyr cuddiedig fel pileri, yn fud yn y byd gwyn o'm cwmpas. Fferrai cnawd fy nhalcen gan yr oerfel a theimlwn fel petai yna adlais yn fy ymennydd o guriad fy nhraed ar y llawr.

Ar ryw noson fel hon, wrth stompio trwy'r oerni unig, dechreuais feddwl am y lonydd y cerddwn ar eu hyd gartref yng Nghymru. Daeth atgof o oglau melys dail yr hydref yn ymdoddi i bridd fy nghynefin i fy ffroenau, a'r awel gynnes y sylwais arni weithiau ym mherfeddion gaeaf, awel haf y gwledydd pell cyn gwthiad gwyllt y gwanwyn.

Cerddais yn freuddwydiol felly nes i mi gyrraedd y briffordd. Yno fel arfer, yn edrych ar draffig a cherddwyr roedd plismon yn eistedd yn uchel yn y twr gwylio. Nid peth hawdd bellach oedd dringo i lawr o gopa'r eira a oedd wedi pentyrru ar y palmant. Haws o lawer oedd anelu at y briffordd a'i chroesi. Nid oedd yna geir i'w gweld yn unman.

Edrychais ar y plisman yn ei focs. Bocs twr gwylio fel y gwelais ger y Wal yn Berlin bedair blynedd yn gynharach. Dim ond y fo a fi oedd yno ar noson o anialwch gwyn oer. Ni fedrwn ei weld o'n iawn, fedrwn i ddim cael ffocws. Roedd gwyn yr eira yn drysu fy llygaid. Ar ôl tipyn o straffig, llwyddais i roi un droed ar y lôn.

Mewn eiliad daeth sŵn ei chwib.

'BIIIIIIIP'!!

Bu bron i mi â neidio allan o'm croen.

'Nefoedd yr adar, beth sydd ar y dyn?' dywedais wrthyf fy hunan, 'dim byd ganddo i wneud ond eistedd yn y fan honno'n cyfri ceir a phobl, digon i yrru rhywun yn wirion.' Yr oedd chwiban y dyn bach anhysbys wedi chwalu'r tawelwch ac yr oedd y creadur yn dechrau dringo i lawr yr ystol allan o'i focs. Codais fy llaw arno gan wyro fy nghorff a symudais yn ofalus yn ôl i fyny'r pentwr eira ar y palmant. Doedd dim byd i'w wneud ond cerdded ymlaen ychydig ar yr eira uchel unwaith eto, cyn sglefrio i lawr ar fy mhen-ôl yn araf am y tanlwybr. Fe wnaeth yr ysgytfa les i mi, cododd tymheredd fy nghorff fymryn bach ac ar ôl dod allan yr ochr arall o'r tanlwybr a bystachu i fyny'n ôl ar y palmant anweledig mynyddig o uchel, cerddais yn fy mlaen yn hamddenol nes cyrraedd adref.

Ac wedyn cyfarfûm â Sergei. Sergei a oedd yn dal ac yn denau a'i wallt melyn yn disgyn dros ei dalcen. Nid oedd yn byw ymhell o'r llyfrgell a'r Arbat. Efallai fy mod i wedi ei gyfarfod yn yr un siop lyfrau ar ôl galw yno eto i chwilio am lyfrau. Efallai ei fod o wedi cynnig fy helpu i ddarganfod yr orsaf Metro gywir, neu fy mod i wedi gofyn iddo beth oedd enw'r ardal. Crwydrasom yr Arbat gyda'n gilydd, ac yntau'n egluro imi fod yr ardal wedi ei gwarchod ac yn cael ei hadnewyddu i'w chyflwr gwreiddiol. Soniodd wrthyf am Ocwdzhafa a oedd yn 'fardd y gitâr' ac am ei gân am yr Arbat, ac am ei fywyd ei hun yn swyddog 'amser a symud' mewn ffatri, tra bod ei enaid creadigol yn dyheu am fywyd yn y theatr lle bu bardd gitâr arall, Fysotsci, yn actor. Dechreuais weld yr ardal trwy ei lygaid ef, heibio'r llwch, y tyllau a'r pyllau yn y lôn, heibio'r drysau caeedig. Trwy ei lygaid ef, gwelais yr ardal fel y gwneuthum ddegawdau wedyn wedi i'm ngwallt wynnu a chael ei orchuddio â lliw, y tro hwnnw y gwelais Ocwdzhafa ei hun yn sefyll yno, yng nghanol y siopau prysur a'r adeiladau crand, ar ffurf cerflun yn dyst o gyfnod a fu.

Roeddem yn cyfarfod o dro i dro ger gorsaf Smolenscaia, yr orsaf ddyfnaf y pryd hwnnw a'r grisiau yn cymryd oes i ddringo i'r wyneb.

Un tro gofynnodd i mi ei gyfarfod yn Stryd 1905, stryd wedi ei henwi ar ôl chwyldro a fu yn 1905 yn ardal Presnensci, Moscfa. Golygai hyn ychydig o newidiadau trên er mwyn i mi gyrraedd yno. Disgwyliodd Sergei amdanaf ger mynedfa'r fynwent, roedd ei wyneb yn wyn ac roedd yn gwisgo dillad a oedd yn rhy denau ar gyfer yr oerfel. Roeddem ym mynwent Fagancofo, man claddu meirw brwydr Borodino a brwydr Moscfa. Yno, gorweddai'r bardd Esenin, cyn-ŵr yr actores Americanaidd a'r ddawnswraig enwog, Isadora Duncan. Aethom i mewn i'r fynwent at fedd a oedd wedi ei orchuddio gan flodau a *babwshca* yn sefyll wrth ei ymyl gyda deiseb yn ei llaw.

Daeth yn amlwg nad oedd gan y bedd garreg a gofynnodd y *babwshca* i mi arwyddo'r ddeiseb. Ar y ddeiseb roedd enw'r ymadawedig – Fladimir Fysotsci. Eglurhad Sergei oedd na chaniatawyd carreg fedd i'r ymadawedig gan y Wladwriaeth. Bardd y gitâr a hunodd bedair blynedd ynghynt yn 1980, y flwyddyn yr oedd y gemau Olympaidd yno, oedd Fysotsci. Caneuon protest yn codi o gerddi protest oedd y canu hwn. A rhain wedyn yn cael eu gosod i fiwsig sy'n ategu'r geiriau.

Fe'i ganwyd ym Moscfa yn 1938 ac ar ôl i'r rhyfel ddechrau, ymgiliodd ei fam ag ef i dref fach yn yr Wrali tra yr oedd ei dad ar y ffrynt. Dychwelsant yn ôl i Foscfa yn 1945. Daeth tad Fysotsci yn ôl o'r rhyfel at ddynes arall a threuliodd Fladimir ddwy flynedd, o 1947 hyd at 1949,

Fladimir
Fysotsci,
yr actor
a'r canwr

gyda theulu newydd ei dad yn Nwyrain yr Almaen. Yn 1955 cofrestrodd Fysotsci yng nghyfadran fecanyddol Institiwt Adeiladwaith Peirianwaith Moscfa ond gadawodd ar ddiwedd y tymor cyntaf er mwyn gwneud cais i ymuno â Theatr Gelf Moscfa. Cafodd ei dderbyn a graddiodd yn llwyddiannus yn 1960. Gweithiodd wedyn fel actor yn Theatr Ddrama Pwshcin a'r Theatr Miniatur nes iddo ymuno â Theatr Taganca yn 1964. Fe ddaeth yn brif atyniad yn y theatr.

Roedd gan Cocherian, un o ffrindiau Fysotsci, fflat yn yr run stryd â Fysotsci yn y 1960au. Yno cyfarddodd Fysotsci â Fasili Shwcshin, actor, ysgrifennwr a chyfarwyddwr ffilmiau a hefyd Andrei Tarcofsci, un o'r cyfarwyddwr ffilmiau mwyaf enwog ers Sergei Eisenstein. Dechreuodd Fysotsci ysgrifennu ei ganeuon ar eu cyfer.

Yn ôl Lara Putsello daeth y syniad i osod ei farddoniaeth ar gerddoriaeth gan Bwlat Ocwdzhafa. Rhoddodd Fysotsci gynnig yn gyntaf ar y piano, wedyn yr acordion, ond yn y diwedd, fel Ocwdzhafa, penderfynodd gyfeilio ei hun gyda'r gitâr saith llinyn Rwsiaidd. Byddai Fysotsci yn canu ei ganeuon gyda chriw o ffrindiau a'u recordio ar recordydd tâp. Roedd Fysotsci yn medru cymysgu arddulliau ieithyddol yn ei ysgrifennu mewn ffordd ddoniol, a dynwared iaith pob dydd y rhan fwyaf o bobl. Roedd y gymysgfa o wahanol haenau cymdeithas yn yr Undeb Sofietaidd wedi lluchio pob math o ddylanwadau ieithyddol at ei gilydd, gan gynnwys iaith y clasuron, acenion y gwahanol ardaloedd, iaith gweithwyr y ffatrïoedd, slang y stryd, jargon proffesiynol, sloganau swyddogol ac arddull eglwysig Feiblaidd yn deillio o gefndir diwinyddol Stalin ac olion helaeth a grymus Eglwys Uniongred Rwsia. Yn ôl Sergei, roedd Fysotsci mor boblogaidd ymysg pobol Moscfa, fel y rhoddwyd blodau ffres ar ei fedd bob dydd.

Wrth gerdded oddi yno sylwais ar y beddi eraill. Yr oedd gan nifer helaeth ohonynt luniau ar y cerrig, lluniau sepia a lliw o'r ymadawedig, hen ac ifanc. Cyflwynai neges daer am fyrder bywyd.

'Tyrd i'm tŷ i,' gwahoddodd Sergei, 'i ti gael gwrando ar recordiad o Fysotsci yn canu.' A dyna a wnes i, ac fe fachodd y canu yn fy nychymyg.

Llais ffyrnig, fel cŷn yn hollti gwenithfaen oedd gan Fysotsci. Yn actor yn ogystal â chanwr, newidiai'i lais o dro i dro yn ei gân, i adlewyrchu cymeriad, gweithgaredd neu deimlad. Ni wyddwn sut y medrai'r llinynnau wrthsefyll ei fysedd gan y canai'r gitâr mor wyllt. Canai fel petai ei enaid yn mynnu bod ei lais yn cael ei glywed, hyd yn oed os oedd Fysotsci ei hun eisiau canu neu beidio.

Mor boblogaidd a llwyddiannus oedd ei ganeuon yn adlewyrchu profiadau a theimladau bobl, fel y dychrynai'r awdurdodau. Yr awdurdodau'n dychryn oherwydd caneuon protest Fysotsci a'u boblogrwydd, a Fysotsci yn dychryn oherwydd ei fod o'n teimlo o dan fygythiad gan y Wladwriaeth. Ond, yr oedd fel petai o ddim yn medru gwneud dim yn wahanol a chana ei ganeuon er gwaethaf yr ofn y câi ei garcharu, gan ddibynnu ar fodca i leddfu ei deimladau. Efallai mai hyn a yrrodd Fysotsci i fedd cynnar yn bedwar deg oed.

Ceisiai Sergei egluro ystyr caneuon Fysotsci i mi. Gwrandewais arno yn y fflat fechan a rannai efo'i fam. Eisteddem ar y soffa fer, a charped yn addurno'r wal y tu ôl i ni. Yr oedd yna icon yn y gornel gyda darlun o'r baban Iesu ym mreichiau Mair groen tywyll, golygfa ddigon cyffredin yn y cartrefi y bûm ynddynt.

Cyrhaeddodd Iconau Rus o'r Bysantiwm wedi eu peintio gan artistiaid Groegaidd, arbenigwyr mewn technegau peintio iconau a gafodd eu mabwysiadu gan artistiaid Rwsiaidd. Mae un enghraifft arbennig i'w weld yn Galeri Tretiacof ym Moscfa, 'Ein Dynes o Fladimir', neu 'Theotocos Fladimir'. Cafodd ei yrru gan y Patriarch Groegaidd Constantinopl yn anrheg i'r Uchel-Ddug Iwri Dolgoruci (Iwri Braich Hir), Cief, yn gynnar yn y ddeuddegfed ganrif.

Ar y wal arall, rhedai rhes o coasters yn hysbysebu labeli diodydd gorllewinol. Dyrnai llais Fysotsci allan o'r magnetoffon ar y bwrdd o'n blaenau. Canai am y tlodion, y lladron, yr alcoholigion a'r sipsiwn. Efallai ei fod yn teimlo fod angen rhoi personoliaethau dynol i bob un ohonynt. Yr oeddwn wedi gweld ambell i ferch sipsiwn. Roeddynt yn wahanol, gyda'u croen brown a'r sgarffiau lliwgar wedi clymu o dan eu gyddfau, fel Madonau â chroen tywyll. Canai Fysotsci am gymdeithas amherffaith, cymdeithas â meddylfryd wedi troi yn ddogma a oedd yn ymdrechu i ymddangos yn gymdeithas berffaith. Felly yr oedd hi'n ymddangos i mi.

Yn ôl Sergei, prif gân Fysotsci oedd 'Hela Bleiddiaid' – cân alegoriaidd am y CGB (KGB):

Hela Bleiddiaid

Rwyf yn rhedeg, a'm gewynnau'n dynn
fel pob helfa arall a wynebais.
Rwyf wedi fy nghornelu a'm hamgylchynu megis gêm,
Rwy'n cael fy ymlid tuag at y baneri sydd wedi'u rhifo,
Saethant ataf o du ôl i'r pinwydd
lle cuddia'r helwyr yn y cysgodion,
Gwnaethpwyd ni yn dargedau byw
sy'n gadael llinellau gwaed yn yr eira gwyn.

Mae helfa fleiddiaid arall, magl arall hawdd
ar gyfer yr ysglyfaethwyr llwyd, yn hen ac ifanc.
Helwyr yn rhegi a'u cŵn yn cyfarth hyd chwydu,
Gwaed ar yr eira, baneri coch ac oerni caled.

Ffug yw'r gêm a'r diweddglo wedi'i drefnu
Rhwystrwyd rhyddid fy nghnud gan faneri.
Ni chryna dwylo'r heliwr wrth ein saethu
Mor agos, agos, â'i fwledi plwm.
Mae'r blaidd yn parchu ei draddodiad
Hyd yn oed cenawon a'u ffwr sidanaidd.
Mae croesi'r baneri cochion yn waharddiad
A sugnwyd gyda llaeth y fleiddiast.

Mae helfa fleiddiaid arall, magl arall hawdd
ar gyfer yr ysglyfaethwyr llwyd, yn hen ac ifanc.
Helwyr yn rhegi a'u cŵn yn cyfarth hyd chwydu,
Gwaed ar yr eira, baneri coch ac oerni caled.
[Llai o fwlch yma]Mae gennym enau cryf a llygaid barcud.
Arweinydd y cnud, esboniwch i'ch criw
Pam yr ydym yn crynu a deisyfu ein marwolaeth
Heb geisio torri'r gwaharddiad
Ni all blaidd fygu ei reddfau.
Teimlaf fod fy amser yn dod i ben,
Mae'r un sydd am fy lladd yn codi'i wn
Bron na chlywaf y glicied.

Mae helfa fleiddiaid arall, magl arall hawdd
ar gyfer yr ysglyfaethwyr llwyd, yn hen ac ifanc.
Helwyr yn rhegi a'u cŵn yn cyfarth hyd chwydu,
Gwaed ar yr eira, baneri coch ac oerni caled.

Yna rwy'n gwrthryfela a thorri'r rheolau,
Gorchfygu fy ngreddfau a'm hewyllys i fyw.
Rhedaf tuag at y baneri coch a osodwyd gan ffyliaid
A thorraf trwy siffrwd eu rhidyll.

Mae helfa fleiddiaid arall, magl arall hawdd
ar gyfer yr ysglyfaethwyr llwyd, yn hen ac ifanc.
Helwyr yn rhegi a'u cŵn yn cyfarth hyd chwydu,
Gwaed ar yr eira, baneri coch ac oerni caled.

Yr oedd Pennaeth y CGB yn cael ei ddisgrifio fel 'awdur' yr hela
a phobl y wlad yn fleiddiaid. Canai am y rhai oedd yn gwrthwynebu'r
Wladwriaeth, ac am ddynoliaeth a hanes. Yr oedd mwy nag un gân
ar y themâu hyn. Yn eironig, eglurodd Sergei wrthyf, bod y gân hon yn
boblogaidd gan bennaeth y CGB, ac mi gafodd Fysotsci wahoddiad i'w
dŷ i ganu. Yfai *fodca* er mwyn cael dewder potel a chanodd '*Ochotii na
Folcof*' i'r pennaeth a'i deulu a chafodd gymeradwyaeth mawr ganddo.
    'Rydych yn gyfarwydd iawn gyda bywyd bleiddiaid,' oedd sylw
pennaeth y CGB, heb sylweddoli mai am ei bobl a'i wlad ei hunan
yr oedd yn canu. Cofnododd Fysotsci'r profiad mewn cân arall,
ychwanegodd Sergei.
    Cawsom banad gan fam Sergei a hithau'n sôn am ei gwaith yn
athrawes a minnau'n falch o gael seibiant o ganolbwyntio mor galed
ar eirfa caneuon angerddol Fysotsci.
    'Cymerwch chi *farenie*?' gofynnodd a finnau'n diolch a rhoi mymryn
o *fariene* yn y te a'i droi gyda'r llwy.
    'Mae'r hogan wedi blino'n lân,' meddai'i fam. 'Mae hi wedi cael
digon bellach.'
    'Wyt ti wedi blino gormod i wrando ar fwy?' gofynnodd Sergei.
    Mi roedd 'chi' a 'ti' yn y Rwsieg fel yn y Gymraeg. Yr un ystyriaethau
a reolai eu defnydd gan y siaradwr.

'O, na dwi'n iawn, 'chi,' atebais rhag pechu.

Daeth eglurhad ynglŷn â chân arall – un am wersyll carcharorion yn Sibir a dau berson yn dianc. Yn y *tundra*, yn y *taiga*. Mae hi'n aeaf. Yr eira'n ddwfn hyd at y frest, felly mae'n amhosib symud yn sydyn. Mae yna dyrau lle mae'r milwyr yn sefyll gydag arfau. Maen nhw'n medru gweld y dihangwyr yn hawdd.

Roedd fel gêm iddynt. Hawdd eu saethu y tu ôl i'w pennau oherwydd ni allent ond symud yn araf. Dim ond dau ohonynt ar ôl, Fysotsci a'i ffrind. Ei ffrind yn cael ei saethu yng nghefn ei ben. Yn arbennig yng nghefn y pen er mwyn i'w gynnwys wagio ar y llawr. Oherwydd pan nad oes gan berson ddim yn ei ben nid yw'n beryglus.

Cân arall y soniodd amdani oedd un am y rhai a oedd yn gwrthwynebu'r Wladwriaeth. Pan yn anghytuno â'r drefn, mae'n fwy tebyg y caiff dyn fynd i'r ysbyty yn hytrach na'r carchar. Yn ystod amser Stalin, roedd hyd carchariad yn dibynnu ar y barnwr, rŵan mae'n dibynnu ar feddygon seiciatryddol. Dywedai'r meddygon wrth y 'cleifion' – 'Pan 'dach chi'n well fe gewch chi fynd yn rhydd.' Mae hyn yn digwydd yng nghân Fysotsci. Mae o'n cyfeirio at y gorffennol, ond ei neges yn cynnwys y presennol, meddai Sergei.

Parablodd Sergei yn ei flaen:

'I Fysotsci mae o'n golygu fod yr hyn oedd o'i le yn ei wlad wedi dechrau yn 1917, ond nad oedd o'n gwybod beth oedd yn dda cyn 1917, bod llyfrau'n medru cael eu defnyddio ar gyfer da a drwg, ...', a finnau â fy mhen yn troi gyda'r holl eiriau, yn ceisio llenwi'r tyllau yn fy Rwsieg, a'r holl wybodaeth boenus yn creu tyllau yn fy nghalon.

'Tyrd,' meddai Sergei, 'mi wnâi dy gerdded di at y Metro.' Dywedodd y baswn yn cael clywed caneuon Bwlat Ocwdzhafa y tro nesaf. Ond roeddwn i wedi clywed am Ocwdzhafa cyn hynny ac fe fyddwn yn clywed amdano eto flynyddoedd wedyn pan fyddwn yn eistedd gyda ffrind o'r Almaen mewn dinas yn Lloegr gyda'i thad, cyn-Athro Rwsieg mewn prifysgol yn yr Almaen. Yr oedd wedi cael ei garcharu tra'n fyfyriwr yn dysgu Rwsieg, meddai, ac o ystyried hyn roeddwn yn synnu ei fod yn hoff iawn o'r Rwsiaid. Roedd yn garcharor o fewn y Cylch Arctig a'r bobl leol a'i cadwodd o'n fyw trwy rannu eu bwyd. Roedd o'n gyfarwydd iawn â chaneuon Bwlat. Gafaelodd mewn gitâr a dechreuodd ganu cân wrthryfel Ocwdzhafa:

Y Milwr Papur

Roedd milwr yn y golau'n hardd a dewr,
Yn degan plant ac wedi'r cyfan dim ond yn filwr papur;
Roedd am aildrefnu'r byd a phlesio pawb
Ond crogodd wrth ei edau'i hun, y milwr papur.

Trwy fwg a thân fe fyddai'n marw drosoch ganwaith
Ond chwarddasoch ar ei ben – 'mond milwr papur.
A pheidio ag ymddiried eich cyfrinachau ynddo fo,
Wedi'r cyfan doedd o ddim ond milwr papur.

Fe heriodd ffawd ac wfftio ofn
A chamu mewn i'r frwydr
Gan grefu byd y gwn a'r tân
Ac anghofio'i fod o'n ddim ond milwr papur.

I mewn i'r tân? O'r gore felly, awn!
A dechreuodd gamu mlaen:
Ac yno darfod dros ddim byd,
Doedd o yn ddim ond darn o bapur.

Nid oedd erchyllterau rhyfel yn ddieithr i Ocwdzhafa. Fe'i ganwyd i deulu gwleidyddol sosialaidd yn 1924, ei dad o Georgia a'i fam o Armenia. Cafodd ei dad ei ddienyddio yn 1937 a chafodd ei fam ei charcharu yng ngharchar llafur Caragandin. Gwirfoddolodd yn 1942, yn 17 mlwydd oed, i fod yn aelod o'r Fyddin Goch a chafodd ei yrru i'r ffrynt lle'r anafwyd ef nifer o weithiau.

Ar ôl y rhyfel graddiodd mewn llenyddiaeth ym mhrifysgol Tbilisi a chafodd ei anfon i fod yn athro mewn pentref yn agos i Calwga. Yno, dechreuodd ysgrifennu. Yn 1956, symudodd yn ôl i Foscfa ac yn y pumdegau hwyr dechreuodd berfformio ei farddoniaeth ar ffurf caneuon i'w ffrindiau. Ystyrir ef yn sylfaenydd traddodiad 'Bardd y Gitâr'.

A dyna lle yr oeddem, y tri ohonom: fi, fy nghyfaill, a'i thad – athro Rwsieg adnabyddus o'r Almaen gyda'i gitâr a llyfr o ganeuon Bwlat o'i flaen, a'r tri ohonom yn agos at ddagrau.

Ond roedd hynny flynyddoedd lawer ar ôl fy nghyfnod yn byw yn Rwsia a'r tro cyntaf i mi glywed sôn am Bwlat Ocydzhafa, cyn i Sergei sôn amdano, hyd yn oed.

Roedd pnawniau dydd Mercher yn y coleg yn cael eu neilltuo ar gyfer diwylliant. Pob yn ail bnawn Mercher byddem yn dysgu caneuon traddodiadol Rwsia. A dyna lle'r oeddwn, rhyw bnawn Mercher, yn sefyll gyda'm cyd-ddisgyblion o flaen ein hathrawes a oedd yn cyflwyno'r caneuon traddodiadol i ni. Dynes ag iddi lais soprano operatig llawn, llais addas ar gyfer perfformiadau llwyfan cenedlaethol, os nad rhyngwladol. Dyna oedd fy marn i, p'run bynnag.

Er bod fy llais yn bitw ac yn straffaglu i gyrraedd y nodau uchel, mwynheais y profiad yn arw. Nid oedd dim byd tebyg i gân er mwyn cael rhediad geiriau brawddeg a rhythm mewn iaith arall, a deall peth o enaid y bobl yn y gerddoriaeth ac ystyr y gân.

Dyna drysor o ganeuon fel 'Clychau'r nos' (*Fechernii sfon*), y gân adnabyddus 'Nosweithiau Moscfa' a chân ac alaw debyg i'r hwiangerdd 'Cysga di fy mhlentyn tlws' am y fedwen – '*Fo polie beriosca stoiala*'.

Roeddwn wedi darllen bod y fedwen neu'r *beriosca* yn drywydd a redai trwy chwedleuon y wlad. Roedd gan risgl y coed bedw nifer o ddefnyddiau, gan gynnwys cael ei blethu i wneud bocsys a hyd yn oed, yn y gorffennol, gwneud esgidiau.

Yr oedd fy meddwl yn crwydro, yn myfyrio ar beth oedd yn gwneud pobl yn un – cerddoriaeth, traddodiad, iaith, diwylliant, gwleidyddiaeth, crefydd, gwaed, cyfeillgarwch.

Ond daeth fy myfyrdod i ben gyda naid fechan. Edrychai'r gantores arnaf, gan weiddi gyda'i llais cryf:

'Reit, o'r top rŵan bawb ..!' Ac i mewn â ni i gân werin hyfryd arall.

A chanddi hi y clywais mwy am Ocwdzhafa.

'Heddiw dan i am ganu cân gan ddyn o'r enw Bwlat Ocwdzhafa – *'Pozhelanie Drwziam'*.

A dyna fynd trwy'r geiriau gyda'n gilydd gan ymdrechu i ddarganfod ystyr y geiriau efo athrawes heb air o Saesneg a dim amser i edrych mewn geiriadur. Ffordd dda o ddysgu iaith!

'Cofiwch ddysgu'r geiriau erbyn tro nesaf,' meddai'r athrawes ar ddiwedd y wers . . .

Llafuriais dros yr eirfa:

Dymuniad i ffrindiau

Gadewch i ni fynegi ein hedmygedd o'n gilydd ar goedd
Nid oes rhaid i ni ofni a dal y geiriau'n ôl
Gadewch i ni fod yn ganmoliaeth i'n gilydd
Wedi'r cyfan hwn yw'r amser hapus llawn cariad.
Gadewch i ni alaru ac wylo yn agored
Boed inni fod efo'n gilydd, neu ar wahân
Na phoenwn am y geiriau creulon –
Mae tristwch beunydd ynghlwm â chariad
Gadewch i ni ddeall ein gilydd trwy hanner geiriau
Fel nad ailadroddwn ein camgymeriadau
Gadewch i ni fyw fel hyn gan gynnal ein gilydd.
Oherwydd byr yw bywyd, a dim ond unwaith y byddwn fyw.

Yr oedd yn beth da fy mod i wedi llafurio i ddysgu'r geiriau hyn, oherwydd dewisodd yr athrawes y gân hon i'w chanu mewn nifer o'r gwersi dilynol hyd at y wers olaf, y nodyn olaf, a'r neges olaf cyn ffarwelio. Teimlais ystyr tebyg i ddyfnder negeseuon capel a chymuned fy mhlentyndod wrth ei sisial canu tra'n dringo'r grisiau i fy ystafell ar y trydydd llawr ar ddeg.

Braf oedd cael seibiant o'n gwaith pan gefais ddau ddiwrnod o wyliau ar gyfer dathliad Chwyldro 1917. Yr oedd Catia wedi gadael i edrych am ei theulu yn Tashcent. Deffrais ar y seithfed o Dachwedd i ddiwrnod oer, sych ac awyr las. Ar y stryd ac yn y 'parc coedwig' fel y'i gelwid, yr oedd yna deuluoedd ifanc yn ymlacio gyda'u plant: mamau a thadau yn cerdded yn hamddenol gyda'i gilydd, y plant wedi eu lapio'n gynnes a gofalus, plant yn chwerthin ac yn chwarae gyda gofal parod eu rhieni wrth ymyl.

Fel arall, roedd y strydoedd a'r drafnidiaeth gyhoeddus reit wag. Efallai fod rhywfaint o bobl ynghlwm wrth y teledu, os oedd ganddynt un, yn gwylio'r dathliad ar y Sgwâr Coch ger y Cremlin, neu yn mwynhau eu gwyliau gartref. Daliais y Metro i mewn i ganol y ddinas i wylio'r pasiant. Ychydig o bobl oedd ar y Metro a'r strydoedd o gwmpas y Cremlin a'r mawsolëwm lle gorweddai Lenin. Efallai fy mod yn disgwyl carnifal ond daeth oerfel trosof.

Roeddwn yn ddigon agos i ymestyn fy llaw a chyffwrdd â thanc. Aeth un ar ôl y llall heibio, tanciau, gynnau, roced. Arddangosfa o rym milwrol. Rhesi o filwyr ifanc yn martsio. Arddangosfa dorcalonnus. Arddangosfa o ddioddefaint di-baid, diystyr rhyfel, yn rhedeg fel trywydd gwaedlyd trwy hanes. Teimlais ar adegau fel petai adlais hunllef rhyfel yn rhedeg yn fy ngwythiennau, fel y gwaed a ollyngwyd.

'Wel,' dywedais wrthyf fy hun gan droi ar fy sawdl a chamu am y Metro, 'waeth imi fynd adref a mynd dros fy past passive participles a gerunds ddim.'

Telais y pum *copec* am y tocyn ac ar y trên â fi. Eisteddais rhwng dwy ddynes yn darllen llyfrau, gan syllu ar enwau gorsafoedd y llinell a'm hysbryd yn isel. Roeddwn angen llonyddwch a phaned o de.

Gwlad y Te

PENNOD 7

Byddaf yn credu fod yna ddarnau o'r wlad lle mae naws ei phobl yn fwy parod i dderbyn argraffiadau crefyddol, a bod yna ddarnau eraill lle mae'r bobl fel petaent o'r ddaear yn ddaearol, a bod chwedloniaeth yr oesoedd cynnar heb adael eu cyfansoddiadau.

Kate Roberts, *Y Lôn Wen*, [12]

Er cyn lleied o de maent yn ei yfed yn Norwy, tra roeddwn yn Oslo, cefais gynnig te mewn bwyty a dewis allan o focs pren o wahanol fathau o de. Ar ôl dewis English breakfast roedd blas cymysg y bocs yn amlwg yn y cwpan gan gynnwys Earl Grey, te mor agos ag y medrwch ei gael, yn fy marn i, at yfed persawr.

Roedd oglau persawr yn yr awyr wedi imi lanio o'r awyren yn Tbilisi tua ddiwedd 1984, trip ar gyfer myfyrwyr. Dyna arogleuon perlysiau cynhenid a ffrwythau yn drwm yn yr awyr gynnes. 'Wyddwn i ddim ar y pryd fod ein teithiau, gan gynnwys Cief a Tbilisi[13], yn digon tebyg i'r

---

12 Kate Roberts, *Y Lôn Wen* (Dinbych:Gwasg Gee, 1960), t. 41.

13 Hen enw Tbilisi oedd Tiflis.

Tbilisi

un a drefnwyd ar gyfer Steinbeck yn
1947, a newyddiadurwyr cyn hynny.
Disgrifia Steinbeck y gerddi te yno:

> Ac yna deuthum i'r gerddi te,
> sy'n dyfiant gyda'r tlysaf yn y
> byd. Llwyni o de am filltiroedd;
> a thros ymylon y bryniau i gyd.
> Yn y bore bach, hyd yn oed, yr
> oedd y merched yno'n hel y
> dail newydd.

Ond nid oeddwn wedi cyrraedd cweit eto. Yr oeddwn yn dal ar yr
awyren fechan, hynafol. Eisteddais wrth y drws yn gwrando ar yr injan
yn pesychu a thamaid o rwber fel neidr yn gorwedd wrth fy nhraed.
Efallai mai o gwmpas y drws y dylai hwnnw fod, dyfalais wrth edrych
arno. Fe'i cefais hi'n anodd ymlacio, rhwng sŵn yr injan yn tagu a'r hyn
oedd yn edrych fel sêl y drws mor llipa a diffrwyth ar y llawr.

Anghofiais amdanynt fel yr aeth amser heibio, ac fe besychodd yr
awyren fechan ei ffordd dros fôr o fynyddoedd yn codi fel tonnau allan o'r
ddaear, ac ni fedrwn wneud dim ond syllu mewn rhyfeddod ar fynyddoedd
y Cafcas. Mynyddoedd y Cafcas yn ynysu a gwarchod ffordd o fyw
trigolion Georgia tybiais, ond yr oeddent hwythau, fel Afghanistan,
yn weiryn rhwng y grymoedd mawr. Yn 1789 gofynasant i Rwsia i'w
hamddiffyn ar ôl i fyddin Shah Persia ymosod ar Tbilisi a'i chwalu'n
llwyr. Yna fe wnaeth Tsar Paul I yn 1801, ac wedyn Tsar Alecsander
yn 1810, uno'r wlad o dan rym Rwsia. Bellach gwyra Georgia tuag at
America ac mae gan Tbilisi ei George Bush Road a'i McDonalds. Ond
llawer mwy dwfn yw gwreiddiau llenyddiaeth gynhenid Georgia, fel
yng Nghymru, ac mae yna sôn am berthynas, braidd yn denau efallai,
rhwng canu poliffonig Georgia, â Gwlad y Basque a Chorsica. Mae
Steinbeck yn sôn am ei gyfarfod gydag undeb ysgrifenwyr Tiflis (hen
enw Tbilisi) gan ddweud hyn am eu barddoniaeth a'u cerddoriaeth:

Nid nifer bach o bobl yn unig sy'n darllen eu barddoniaeth a gwrando ar eu cerddoriaeth, ond pawb. Yn eu claddedigaethau ar y bryn, gwelsom y cleddid eu beirdd gyda'r un pwysigrwydd â'u brenhinoedd. Yn aml, anghofir brenin, ond fe gofir am y bardd yn hir wedyn. Mae un bardd hynafol – Rwstafeli, a gyfansoddodd gerdd epig hir – ' Y Marchog yn y Croen Teigr' – yn cael ei hanner addoli yn Georgia; mae'n arwr cenedlaethol, ac mae darllen ar ei waith a'i ddysgu ar gof, hyd yn oed gan blant. Mae ei lun hefyd ym mhobman[14].

Disgynnai'r awyren yn is nes glanio yn y maes awyr bychan. Daeth wal o aer cynnes ac arogl persawr planhigion dieithr a blewyn ysgafn efallai o ddŵr hallt a halen y môr i'm cyfarch wrth ddringo i lawr y grisiau. Ym mhen dim, roeddwn wedi fy nghludo i westy ac wedi fy syfrdanu gan y newid cynefin.

Wrth grwydro tu allan, llun tra gwahanol i Foscfa oedd yn fy nisgwyl ar y palmant – nid oedd y fflatiau undonog o'r cyfnod ar ôl y rhyfel i'w gweld yn unman. Daeth y cipolwg yr oeddwn wedi ei gael ar y ffordd o'r maes awyr fwyfwy i ffocws. Cwmpasai cynhesrwydd yr haul fy nghorff, yn fy nadmer hyd at fêr fy esgyrn, gan ryddhau fy anadl o'r rhewbwynt cynharach. Ni rwystrai'r elfennau fy ngherddediad, ni suddai fy nhraed mewn eira dwfn na llithro ar rew caled ar bafin. Cerddwn yn ysgafn droed ac yn rhydd o ddillad ac esgidiau trymion.

Pensaernïaeth 'organig' araf oedd fwyaf amlwg, yn gwau efo symudiadau bywydau pob dydd y trigolion. Yr unig arwydd amlwg o'r polisi canolog a welais oedd y Metro bychan modern. Prynais docyn er mwyn darganfod canol y brifddinas, ac wedi taith fer yr oeddwn i yno.

Cerddais ar hyd y palmentydd gan sylwi ar y carpedi a phatrymau egsotig a oedd i'w gweld trwy ffenestr ambell siop. Carpedi fel y rhai oedd gan Lwdmila a Nadia a Sergei yn addurno waliau eu hystafelloedd byw. Yr oedd yn amlwg fod trigolion Tbilisi o dras wahanol i drigolion Moscfa. Nid oedd yr wynebau crynion gwyn i'w gweld yn unman. Cysylltais grefftwaith carpedi o'r math â Phersia neu Dwrci ac edrychai'r bobl yn Dwrcaidd i mi, neu o Bersia, sef Iran. Efallai eu bod o dras gymysg fel

---

14 John Steinbeck, *A Russian Journal* (Llundain: Penguin, 1999), t.156.

ym Mhrydain. Roedd eu gwalltiau'n ddu a'u croen yn lliw brown ysgafn. Edrychent yn gorfforol gryf a thal ar y cyfan, a nifer o'r dynion yn edrych yn bur flewog gyda'u mwstas ac weithiau locsyn.

Penderfynais ddilyn un o'm diddordebau, a chwilio am chwiban traddodiadol. Roeddwn yn hoff o fy hen chwib tun yr oeddwn wedi ei phrynu ar y cwch i Iwerddon rhyw dro ac nid fi oedd yr unig un, roedd myfyrwyr eraill yn heidio i roi cynnig arni. Cyn bo hir roedd yna alawon o Rwsia, America, Gwlad Pwyl, Ciwba, Afghanistan, Fietnam, Mali a hyd yn oed Siapan i'w clywed, a threuliem amser yn trafod chwibau a ffliwtiau ein gwledydd, y gwahaniaethau rhyngddynt a'r nodweddion a oedd yn debyg. Daethom i'r casgliad fod gan bob gwlad ryw offeryn o'r fath. Syniad un Americanwr oedd sefydlu clwb chwarae chwib.

Dim ond un Americanwr oedd yno, gŵr yn ei dridegau hwyr. Aeth ati i chwilota am *dwdotshca*, sef y gair Rwsieg am offeryn o'r math. Cyn bo hir yr oedd o'n ôl gyda ffrwyth ei helfa ar ôl bod yn siopa yng nghanol Moscfa. Disgwyliais weld offeryn â naws Rwsiaidd iddo. Roedd gennyf faint fynnir o chwibau syml o Dwrci ac India a'u sain yn dilyn patrwm tra gwahanol i donic sol fah. Er mawr syndod i mi, yr oedd yr Americanwr wedi dod yn ôl gyda'i freichiau llawn *recorders*, offeryn chwib amlycaf ysgolion Prydain!

Efallai mai dyna oedd yn cael eu chwarae o fewn ysgolion Moscfa, ond ni fedrwn ddychmygu mai *recorders* a ganent yn Georgia. Daeth yn glir mai tref dra gwahanol oedd Tbilisi i'r trefi eraill yr oeddwn wedi bod ynddynt yn yr Undeb Sofietaidd . Roedd yna gysyniad clir o farchnata yn y siopau ar strydoedd Tbilisi. Roedd gan rai hyd yn oed arddangosfeydd o'u nwyddau yn eu ffenestri.

Meddyliais am bentrefi a threfi ar ochr y rheilffordd Draws-Sibir a welais bedair blynedd ynghynt; ar wahân i siopau'r llywodraeth, dim ond drws agored oedd yn arwydd bod rhywbeth ar werth yno. Hyd yn oed wedyn, hawdd oedd taro i mewn i dŷ neu adeilad preifat mewn camgymeriad.

Teimlai'r lleoliad fel petai wedi tyfu'n naturiol ar hyd llwybr hynafol sefydlog, yn ymwneud â masnach a chrefft. Nid oedd ciwiau i'w gweld yn unman, dim ond digon o fynd a dŵad, pobl yn mynd o gwmpas eu pethau – yr hinsawdd yn ffafriol mewn mwy nag un ystyr i bob golwg.

Nid hawdd oedd toddi i mewn i'r cefndir wrth grwydro o gwmpas. Safwn ar wahân gyda fy nghroen cymharol olau, gwallt brown a chôt *duffle*. Wrth gerdded cefais hi'n anodd mynd heibio dau ddyn ar y palmant.

'Dach chi ar goll?'

'Fedrwn ni eich helpu?'

Edrychais yn ansicr arnynt. Atebais yn fy Rwsieg gorau.

'Dwi'n chwilio am *dwdotshca*, 'dach chi'n gwybod os oes 'na siop yn eu gwerthu o gwmpas?'

'Ydan yn iawn, wnawn ni ddangos i chi,' atebodd y talaf ohonynt, dyn ifanc, cryf, blewog, tal.

Darpar filfeddygon oeddynt, medden nhw. Teimlais ychydig yn amheus ynglŷn â'u bwriad, a dilynais hwy yn ofalus, gyda chymaint o bellter corfforol rhyngof a hwy, gan fod yn barod i redeg os oedd rhaid. Er gwaethaf fy amheuon, cefais fy arwain ganddynt, yn garedig, at siop gerddoriaeth. Yr oedd faint fynnir o *dwdotshci* ar werth yno.

Cyfeiriodd y dyn a gadwai'r siop atynt fel *salamwri*, yr enw cywir Georgaidd. Yr oedd ceg yr offeryn yn ymddangos yn debyg i glarinét. Nid oedd gennyf y gallu i greu sain resymol ac yr oedd y gost – tri deg rwbl – heb fod o fewn fy nghyrraedd. Nid oeddwn eisiau gwastraffu amser y siopwr nag amser y darpar filfeddygon, felly diolchais o waelod calon iddynt ac allan â fi.

Daeth y ddau allan o'r siop ar fy ôl.

'Fasa chi'n licio dod am bryd o fwyd?' gofynnodd un. Yr oeddwn i ddarganfod fod y bwyd yn anhygoel o flasus yno, ond y foment honno ni wyddwn beth i'w ddweud, dim ond rhywbeth ar hyd y llinellau fy mod i reit brysur efo'm ffrindiau.

Cafodd fy ffrindiau eu cynnwys ar unwaith yn y gwahoddiad ac ni fedrwn feddwl am esgus i wrthod. Roedd yn rhaid i mi dderbyn. Ymadawsom â'n gilydd am y tro gan fy ngadael i holi fy hun os dylai rywun fyw yn wyllt weithiau neu beidio!

O'i gymharu ag oerfel gaeaf Moscfa, yr oedd Tbilisi yn falmaidd, os nad yn Fediteranaidd. Cofiais am y chwa o oglau dŵr hallt a halen y môr a ddaeth i'm cyfarch wrth ddringo'r grisiau i lawr o'r awyren.

Ni wyddwn ar y pryd fod Georgia yn gorwedd rhwng y Môr Du a Môr Caspia a thynnais y pamffled o fap yr oeddwn wedi ei gael yn y gwesty o fy mhoced. Arno yr oedd yna gyfeiriad at Fôr Tbilisi. Yn ôl pob golwg roedd ar lwybr bws. Gofynnais i wreigan a oedd yn cerdded heibio am y ffordd at yr orsaf bws. Mynnodd hithau'n garedig fy nanfon yr holl ffordd at yr orsaf bysiau. Roedd hi'n ddynes glên dros ben, person hawddgar a chyffyrddus a sgwrsiai'r ddwy ohonom fel petai ni'n adnabod ein gilydd erioed. Gan godi ei llaw wrth iddi ymadael â'r bws, gadawodd hi fi efo gwahoddiad i de trannoeth.

Rholiai'r bws yn ei flaen gyda'i ychydig o deithwyr. Erbyn i mi gyrraedd y môr, dim ond y fi a'r dreifar oedd ar ôl. Fel y digwyddai, llyn dŵr croyw reit debyg i Lyn Padarn neu Lyn Peris oedd Môr Tbilisi, ond heb bentref o'i gwmpas yn unman.

Doedd gen i ddim gwybodaeth o iaith unigryw Georgia a doedd y dreifar ddim yn edrych fel ei fod awydd defnyddio ei wybodaeth o Rwsieg, os oedd ganddo unrhyw wybodaeth ohoni, ond penderfynais aros ar y bws gan obeithio mai dychwelyd yn ôl i Tbilisi oedd y bwriad. Nid oedd y syniad o ddisgwyl am fws mewn ardal anial, ddi-bobl, er ei harddwch rhyfeddol, yn apelio. Mwynheais y siwrne'n ôl, yn eistedd ar y bws yn siglo nôl ac ymlaen yn edrych ar yr olygfa o fy amgylch. Ac yr oedd dreifar y bws wedi gadael i mi gael ychydig eiliadau ger Môr Tbilisi. Môr Tbilisi – *more* – wnaeth droi allan i fod yn llyn - *osera*. Am od, meddyliais. Camgyfieithiad o iaith Georgia i'r Rwsieg yn y pamffled efallai'. Daeth fy nhaith i ben a springs y bws wedi fy ymlacio'n llwyr. Cerddais i'r gwesty, cael swper ac i'm gwely a chwsg dwfn.

Ar ôl cael llond bol o frecwast y diwrnod canlynol, sylwais nad oeddwn yn meddwl cymaint am fwyd. Nid oedd rhaid i mi. Yr oedd yna gymaint ohono. Nodwedd weladwy o'r gynhaliaeth ddyddiol oedd yr olwynion meddal, melys o fara *lafash*, heb eu lapio, yn siglo yn rhydd yn nwylo siopwyr.

Daliodd poster fy sylw ar y ffordd yn ôl i'r gwesty. Roedd yn hysbysebu bale a oedd ar fin dechrau. Ni fedrwn beidio â mynd i'w weld. Telais am y tocyn ac i mewn â fi i Theatr Genedlaethol Georgia, a enwyd ar ôl eu bardd enwog, Rwstafeli. Detholiad o glasuron adnabyddus oedd yr hanner cyntaf, a'r mwyaf cofiadwy oedd 'Llyn Alarch' Tshaicofsci, a bale modern yn yr ail ran. Yr oedd diwylliant o'r math hwn yn rhyfeddol o rad er Chwyldro 1917 – fel y bara rhyg. Tra y bu unwaith yn rhywbeth a oedd ar gyfer boneddigion Rwsia a siaradai Ffrangeg yn unig. Roedd Rwsia wedi mabwysiadu celfyddyd y ddawns a'i meistroli mewn modd unigryw.

Argaeledd, nid cost, oedd y rhwystr. Roedd yn fforddiadwy'r blynyddoedd hynny i bawb yn y gymdeithas. Dywedodd fy llawlyfr amhrisiadwy – *Blue Guide to Moscow and Leningrad* fod y Cwmni Bolshoi, a welais yn y theatr ym Moscfa am oddeutu dwy rwbl a phum deg copec, wedi datblygu yn y ddeunawfed ganrif gan roi gyrfa i blant amddifad o'r cartref plant yno. Roedd adeilad theatr y Bolshoi yn cael ei ddefnyddio o 1806 ymlaen. Dychmygais fod bywyd y dawnswyr yn hunanddisgybledig iawn, nid yn union y bywyd llawn rhamant yr oedd rhai ohonom, genod ifanc yn y gorllewin, yn ei ddychmygu. Yn Tbilisi, yn y cyfnod hwn, George Alecsidze oedd y cyfarwyddwr artistig, a'i arbenigedd ef oedd cyflwyno *repertoire* o fale neoglasurol yn ogystal â'r clasuron.

Dyn ifanc mewn cadwyni symbolaidd anweledig yn ceisio dod yn rhydd a ymddangosodd yn y darn modern yn yr ail ran. Daeth dywediad Rousseau i fy meddwl: 'Genir dyn yn rhydd ond mae mewn cadwyni ym mhobman'. Cerddais i'r gwesty yn y tywyllwch ar ôl y perfformiad a fy mhen yn llawn symudiadau'r dawnsfeydd a'r gerddoriaeth. Cysgais y noson honno gydag atgof cwmni cynnes y diwrnod a cherddoriaeth a symudiadau'r bale yn llenwi fy mhen a'm calon.

Cefais gyfle i weld dawnsio Georgaidd rhyw dro arall gyda chyd-fyfyrwyr eraill, mewn bwyty bychan ganol dydd. Dawnswyr mewn gwisgoedd traddodiadol oedd y rhain. Y dynion, pryd tywyll, tal a chryf, yn ymestyn eu breichiau allan, a'r merched, pryd tywyll, tal a chryf, yn symud yn sidét. Chwaraeai un cerddor *salamuri* a cherddor arall offeryn tebyg i *buzwci, choghur* efallai. Nid wyf yn cofio a glywais y canu poliffonig y pryd hwnnw neu beidio. Mae'n sain dlos iawn gyda'r lleisiau'n plethu fel clychau i adleisio'r alaw.

Pan aethom efo'n gilydd y noson honno i gwrdd â'r darpar filfeddygon yn y bwyty tybiais efallai na fyddent yno. Ystyriais eu bod wedi anghofio amdanaf erbyn hyn, ond roeddent yno'n disgwyl amdanom. Cyflwynais fy nghyd-fyfyrwyr iddynt ac i mewn i'r bwyty â ni. Cymerodd gŵr mewn oed ein cotiau, gwarchodydd y *garderob,* ac eisteddasom o gwmpas un o'r byrddau crynion.

Dyma boteli o win enwog Georgia yn cyrraedd y bwrdd ac wedyn roedd rhai yn sefyll ar eu traed i gynnig llwncdestun i faterion mor amrywiol â heddwch rhwng gwledydd a lles ein neiniau. Er mai gwydrau cyffredin a oedd yn cael eu defnyddio, anodd oedd cael cyfle i'w rhoi nhw i lawr. Darganfyddais flynyddoedd wedyn bod yna feistr y llwncdestun, y *tamada,* a oedd yn cael ei ddewis i fod yn gyfrifol am gynnig y llwncdestunau ar gyfer yr achlysur, a fedra i ddim llai na meddwl fod heddwch rhwng gwledydd a lles ein neiniau yn bethau gwerth chweil i godi gwydryn iddynt.

Dyma'r tro cyntaf i mi flasu yr hyn sydd bellach yn hoff berllys gennyf – coriander, ac roedd y pryd bwyd yn llawn ohono, a chnau a llysiau o bob math a chyw iâr a chig oen a chig moch gyda sbeisys, a'r olwynion bara melys meddal yn gyfwyd. Efallai fy mod i wedi dechrau efo *lobio* – ffa coch gyda chnau Ffrenig wedi'u merwino gyda choriander neu *pchali,* ac *aubergine* gyda hadau pomgranad a pherlysiau. Cafwyd cig a llysiau wedi eu coginio mewn nifer o wahanol sawsiau – *sacebeli, satsifi, garo, tcemali,* wedi eu gwneud gyda gwin garlleg, cnau, a ffrwyth. Nid oedd angen dulliau o gadw a phiclo ar gyfer y gaeafau rhewllyd a'r tywydd gwlyb yn y fan hon.

Dim ond gwlychu fy ngwefus wnes i efo gwin y grawnwin cynhenid, a theimlais yn aflonydd wrth weld fy ffrindiau yn meddwi fwyfwy. Teimlwn mai gwell oedd sicrhau fy mod â phen hollol glir, jest rhag ofn.

Edrychais o gwmpas yr ystafell. O fod yn fwyty bron yn wag, yr oedd rŵan i'w weld bron iawn yn llawn dynion, ninnau'r unig ferched. Yr oedd y gŵr a oedd yn gwarchod ein cotiau yn edrych arnaf gan wneud ystumiau comig gan chwifio ei freichiau. Beth oedd o'n trio ei ddweud wrthyf?

Pan ddaeth y bardd at ein bwrdd i adrodd teyrnged lenyddol hir i Stalin, tybiais mai bwriad ystumiau comig gŵr y *garderob* oedd fy rhybuddio, ymdrech i ddweud wrthyf i adael ar frys. I mi, roedd enw Stalin yn gyfystyr â hil-laddiad a gwersylloedd marwolaeth. Cyn bo hir, roedd ein bwrdd wedi ei amgylchynu gan ddynion digon tebyg eu golwg i gyn-arweinydd y wlad, yn cyfarch y bardd ac yn llawn balchder ohono. Roedd y cyfnewid diwylliannol wedi cyrraedd diwedd naturiol meddyliais a chodais i fynd yn ôl i'r gwesty. Yr oedd pob ymdrech i dalu am y pryd wedi cael ei wrthod yn hael.

Wrth i mi sefyll, dyma ddynes yn cyrraedd yn wyllt gynddeiriog a daeth y rheswm am boendod y dyn a oedd yn edrych ar ôl y cotiau yn glir. Rheolwraig y bwyty oedd y wraig bwysig. Dechreuai'r darpar filfeddygon chwilota'n ddwfn yn eu pocedi am arian a'u hwynebau'n llawn euogrwydd, yn wyneb araith loerig y wreigan. Ffrindiau efo'r cogydd oedd yr hogiau, nid oedd ganddynt fwriad i dalu am y bwyd, prin y gallent fforddio bwyta yno o gwbl. Cafodd ein hymdrechion i dalu'r rheolwraig hefyd ei gwrthod yn llwyr. Gwisgai pob un dyn yn yr ystafell, gan gynnwys y bardd, wynebau euog. Teimlwn fel petai nodwydd wedi pigo'r awyrgylch *machismo* a oedd wedi chwyddo yn yr ystafell fel balŵn. Aeth y tair ohonom am y Metro ac i'r gwesty. Myfyriais yn fy ngwely am y noson cyn dod i'r casgliad, 'Onid oedd dynion yn medru mynd i'r fath drafferth i greu argraff ar ferched?'

Es i chwilio am anrheg i Madonna, dynes glên yr oeddwn wedi ei chyfarfod y diwrnod cynt. Nid oeddwn eisiau cyrraedd i gael te gyda hi'n waglaw. Crwydrais y siopau gan ryfeddu at fanylder patrymau cyfoethog y carpedi egsotig, a gwelais y te Georgaidd adnabyddus ar werth, yn ogystal â sbeisys a pherlysiau aromatig. Teimlai fel pennod allan o lyfrau fy mhlentyndod a llenwai fy nychymyg diorwel.

Denodd y farchnad fi gyda'i lliwiau llachar. Doedd na ddim dal yn ôl ar y farchnad breifat hon. Yr oedd y stondinwyr, fel eu cynnyrch, yn llawn bywiogrwydd. Rhosod, ffrwythau Sharon, ffres a sych ac arogl y sbeisys a'r perlysiau aromatig yn llenwi'r aer cynnes, glân. Disgwyliais orfod bargeinio, buasai pedair gellygen ym Moscow wedi costio traean o fy incwm wythnosol. Ond cefais fy lluchio gan gynhesrwydd anhygoel y stondinwyr. Roedd hi'n drafferth cael talu am unrhyw beth o gwbl.

'Nid yw ymwelwyr i *Grwssi* yn talu,' dywedodd stondinwr wrthyf.

Disgleiriodd fy nghytseiniaid Cymraeg trwy fy Rwsieg. I glustiau'r stondinwyr, roeddwn yn dod o ran anghysbell o dirwedd enfawr yr Undeb Sofietaidd. Ond crafent eu pennau wrth geisio dyfalu o le yno.

Ymdrechais i egluro mai Cymraes yr oeddwn.

'O le dach chi'n dod?' gofynnent.

'O Brydain, Cymru,' atebais.

'Lle mae Britania, Cymru ...Wales?'

'Yn y Gorllewin ...' atebais.

Ar ôl tipyn o bendroni, penderfynasant mai merch o'r gwledydd Baltic oeddwn i mwy na thebyg. Aeth y foment i geisio egluro mwy heibio. Mynnent fy llwytho gyda chynnyrch yn ddi-dâl er fy mawr embaras. Er gwaethaf fy ymdrechion i dalu gwrthodasant adael i mi wneud yn blwmp ac yn blaen. Ni wyddwn beth oedd y peth cwrtais i wneud, mynnu talu neu ddiolch yn hael. Yn gadarn dywedasant eto nad oedd ymwelwyr i *Grwssi*, sef Georgia, yn talu. Dyna pa mor hael oedd eu caredigrwydd ar y pryd. Yn y diwedd, ni fedrwn ddim ond diolch iddynt gan deimlo fod hynny'n annigonol.

A finnau bron â diflannu o dan y cynnyrch a gynyddai yn fy mreichiau, gadewais gan deimlo fy mod i wedi cael fy mharatoi ar gyfer gaeaf caled, siwrne hir, neu'r ddau. Efallai fod yna draddodiad o drin teithwyr fel hyn yn bodoli oherwydd lleoliad anghysbell y ddinas, meddyliais.

Yr oedd rhaid i mi ddychwelyd yn ôl i'r gwesty i ddadlwytho cyn mynd i weld Madonna. Nid oedd gennyf fawr o bethau personol y gallwn roi yn anrheg iddi a theimlais yn annigonol wrth fynd i'w gweld hi gyda thusw o rosod hyfryd yr oeddwn wedi'i gael mor rhydd a charedig gan y marchnatwyr lleol.

Yr oedd Madonna yn byw yn yr hen ran o Tbilisi. Cerddais i mewn i iard a oedd wedi ei hamgylchynu gan fflatiau cymunedol a dyna lle'r oedd Madonna'n disgwyl amdanaf. Safai gŵr oedrannus wrth ei hochr ac edrychodd arnaf yn llawn chwilfrydedd. Cyfarchodd Madonna fi gan fy nghofleidio.

'Helô Wendy! Tyrd i mewn, dyma fy nhad ...' Enwodd Madonna ei thad ond ni fedrwn yn fy myw ddeall ei enw.

'Sut dach chi, braf iawn eich cyfarfod,' dywedais wrth dad Madonna. Cefais wên o glust i glust ganddo.

'Tyrd efo ni, ffordd yma,' meddai Madonna.

Dilynais Madonna a'i thad i fyny grisiau pren sigledig ac i mewn

i gegin fechan gan roi'r rhosod iddi hi. Yr oedd y *samofar* yn ei le a chwpanau wedi'u gosod wrth ei ymyl. Prin fy mod i'n eistedd gyda phaned o fy mlaen cyn i dad Madonna ofyn i mi:

'Be dach chi'n feddwl o'n gwlad fawr ni? Mae eich Boneddiges Thatcher, y ddynes haearn, yn arweinyddes fawr, fel Stalin a Churchill.'

Mi roedd y cysylltiadau yma yn realiti yn ei fywyd ef. Pwy oeddwn i i'w cwestiynu?

'Papa – nid yw gwleidyddiaeth yn fater i ni,' torrodd ei ferch ar ei draws yn gadarn. Pwy oeddwn i, i gwestiynu Madonna?

'Ôl reit, ôl reit,' meddai fel petai wedi hen arfer cael gwahaniaeth barn gyda'i ferch. Estynnodd gorn gwydr yfed wedi ei siapio fel corn anifail a chrochenwaith pren traddodiadol wedi eu cerfio. Mynnodd eu rhoi nhw i mi.

'Mae'n rhaid iti gymryd nhw, neu mi bechi am byth,' meddai Madonna.

'Diolch yn fawr iawn i chi,' meddwn wrtho. 'Dach chi rhy ffeind.'

'Mae'r corn i yfed gwin *Grwssi*,' ychwanegodd. 'Gwin heb ei ail'.

Efallai mai dewis ei mam oedd enwi merch yn 'Madonna'. Dyna'r syniad a ddaeth i fy mhen wrth eistedd gyferbyn â'i thad yn y gegin gymunedol.

Roedd yn enw â naws crefyddol iddo ac nid oedd tad Madonna i'w weld yn ddyn crefyddol. Ond eto, yr oedd gallu pobl i ddal syniadau anghyson wastad wedi fy syfrdanu, gan gynnwys fy rhai fi fy hun.

Nid oedd mam Madonna i'w gweld yn unman. Ni ofynnais ddim amdani ac ni soniodd Madonna na'i thad ddim amdani. Yn reddfol bron, teimlais fy mod yn eistedd yn ei chadair hi wrth y bwrdd a bod absenoldeb y fam yn gorwedd yn drwm arnynt.

Codai Madonna i roi'r rhosod mewn potyn.

'Wendy, cymera baned arall a chithau hefyd Tada.'

Llenwodd Madonna ein cwpanau unwaith eto o'r *samofar* urddasol heb ddisgwyl ymateb ac eisteddasom gyda'n gilydd mewn myfyrdod heddychlon. Cymerais lymaid o de. Rhyfeddais mor gartrefol yr oeddwn yn teimlo. Roedd y te yn ambr, heb lefrith, dim blas chwerw, ac yn gysurol flasus.

Roedd Madonna eisiau dangos Tbilisi i mi. Ffarweliasom â'i thad a cherdded i lawr y grisiau sigledig, allan o'r iard ac i'r stryd. Cerddasom ar hyd stryd droellog a serth at yr Eglwys Armenaidd. Roedd yr eglwys yn amlwg yn boblogaidd gan y ffyddloniaid a dwi'n meddwl mai yno y gwelais anifail yn cael ei aberthu, ond hwyrach mai mewn eglwys arall yr oedd hynny. Ymdrechai Madonna i egluro ystyr symbolaidd aberth yr anifail i mi ond ni lwyddais i'w dilyn. Ymhen blynyddoedd darllenais mai arferiad paganaidd yn ymofyn i'n Creawdwr warchod y rheini yr ydym yn eu caru oedd yr aberth. Gobeithiais fod yr anifeiliaid a aberthwyd yno'n cael eu bwyta wedyn ac na fu eu lladd yn ofer.

Aethom am ginio i gaffi a chefais brofi un o'r nifer o fathau o fara *Catshapwri* - un efo wy wedi ei phobi ar ei ben. Am does sydd gan *Catshapwri*! Yn cynnwys mêl, menyn, burum, coriander a chaws ac wedyn ar ôl i'r toes gael ei bobi, rhoddir yr wy amrwd mewn twll arbennig ar ei gyfer a'i roi yn y ffwrn i wynnu. Ar ôl y prinder wyau ym Moscfa, roeddwn wedi gwirioni cael bodloni fy mwynhad ohonynt ac yr oedd cael wy yn y dull hwn yn wledd o ddifrif. Roedd yna lefrith yn y coffi a dim tameidiau fel tywod. Ymddangosai'r cyferbyniad â Moscow yn anferth ar y pryd. Nid oedd y ffasiwn wledd ar gael i mi fel myfyrwraig gyffredin yn Lloegr chwaith!

Fedrwn i ddim ffarwelio â Madonna heb roi anrheg iawn iddi, rhywbeth gwell na'r blodau. Ar wahân i'r dillad ar fy nghefn a'r ychydig ddillad yn fy siwtces yn y gwesty nid oedd gennyf ddim byd. Cofiais yn sydyn am y groes fechan aur a wisgwn am fy ngwddf. Yr oedd yr awydd i'w rhoi i Madonna yn amhosib ei atal. Disgynnodd baich yr haelioni yr oeddwn wedi'i dderbyn oddi ar fy ysgwyddau. Roeddwn yn hapus i weld fod Madonna wedi'i phlesio'n arw ac arhosodd y cof am ei charedigrwydd tuag ataf yn fy nghalon am yn hir iawn.

Bocs o fagiau te Georgia! Y Lôn Wen *Kate Roberts,* William Jones *T. Rowland Hughes,* *Cerddi Arfon,* Sioned *gan Winnie Parry*

PENNOD 8

Y Llyfrau Coch a Gwyrdd

Hel grug i'w roi dan y das yn yr haf, hel llus a gruglus, tynnu llathenni o gorn carw o'r grug ac addurno ein pennau ag ef. Hel nythod cornchwiglod y byddai'r bechgyn, pysgota yn y ffrydiau, dal silidons a dal adar. *Kate Roberts,*[15] *Y Lôn Wen.*

Dwi'n cofio eistedd yn pori trwy lyfrau fy hen daid. Yn eu canol roedd yna fap yn dangos Môr y Baltig wedi ei ddarlunio'n ofalus mewn inc llwydlas. Ymdroellai'r môr rhwng arfordiroedd de Norwy, Sweden a'r Ffindir, heibio'r Almaen a Gwlad Pwyl, Lithwania, Latfia, Estonia ac wedyn St Pedrbwrg. Ar draws map fy nhaid chwifiai llinellau cyriog yn dangos ei deithiau masnachol i wahanol borthladdoedd, a digon hawdd oedd gallu mynd o Sgandinafia i fyny at St Pedrbwrg ac afon Nefa. Ymlwybrai'r afon honno trwy diroedd lle siaredid ieithoedd Ffinno-Iwgric a Rwsieg.

---

15 Kate Roberts, *Y Lôn Wen* (Dinbych: Gwasg Gee, 1960), t.30.

A dyma finna wedyn ar fy ffordd i St Pedrbwrg. Roedd fy amser ym Moscfa wedi chwipio heibio ac roeddwn ar y trên dros nos i Leningrad, fel y gelwid St Pedrbwrg y pryd hwnnw, i athrofa Gertsen i barhau gyda fy astudiaethau Rwsieg. Newidiai enw'r ddinas gyda stormydd gwleidyddol fel y gwynt. Gelwid y ddinas yn St Pederbwrg hyd at ddechrau'r Rhyfel Byd Cyntaf pan gafodd ei henwi'n Petrograd, yna newidiodd yn Leningrad ar ôl marwolaeth Lenin yn 1924, a dychwelodd yn St Pedrbwrg unwaith eto yn 1991 gyda diwedd yr hen Undeb Sofietaidd a chwymp wal Berlin.

Roedd yr orsaf drenau fel ogof fawr lle safai'r locomotifau du enfawr. Eisteddai pobl o gwmpas gyda'u heiddo wedi'i lapio mewn bwndeli mawr. Ychydig iawn o bobl oedd efo siwtces. Cysgais yn drwm yn y gwely yn y *cwpe*. Siglai symudiad y trên bawb yn eu gwlâu fel babanod mewn crud trwy'r noson ddu oer. Eisteddai Leningrad ar y morfa – gair Ffineg am forfa yw *nefa* ac roedd y rhew yn dadmer. Dychmygwn fod gwlybaniaeth afon Nefa a'r Môr Baltig yn ymestyn i mewn i fy esgyrn. Nid oedd oerni sych Moscfa yn bodoli yma.

Leningrad oedd yr hen brifddinas, yn llawn adeiladau crand a chysylltiadau llenyddol. Yma crwydrai Rascolnicof, prif gymeriad Dostoiefsci yn ei lyfr 'Trosedd a Chosb' ac ysbrydolwyd cerdd Pwshcin 'Y Marchog Efydd' gan gerflun Pedr Fawr sy'n sefyll mewn ystum dramatig ger yr afon.

Anodd yw dychmygu bod y 'Fenis y Gogledd' hwn unwaith yn dir a oedd 'in a sort of intermediate condition between the sea and *terra firma.'* and had 'no pasturage, no possibility of cultivation - fruit, vegetables, and even corn, are all brought from a distance'. (Laurence Kelly, *St. Petersburg, a travellers' companion* Llundain: Constable & Co., 1981). Efallai fod Tsar Alecsander I (1777-1825) wedi cael ei ddylanwadu gan addysg a oedd yn cynnwys syniadau Rousseau, ac fe drodd at y Crynwyr ym Mhrydain am gymorth i drin y tir fel mae Richenda C. Scott yn egluro mewn llyfr hynod o ddiddorol. Fe aeth y Crynwyr Daniel Wheeler a'i wraig, Jane, gyda'u plant, o Hull yn 1818 gan obeithio gwneud hynny.

Mewn cyfnod o bymtheg mlynedd llwyddodd Daniel Wheeler a'r gweithwyr i drawsnewid 100,000 o aceri, gan gynnwys tir gyferbyn ag Athrofa Smolni a thir yn Folcofa i'r de o'r ddinas, cyn symud i le o'r enw

Swshari. Bu farw ei wraig a'i blant yno ac fe'u claddwyd mewn bedd ger eu cartref. Petawn i'n gwybod amdanynt ar y pryd, buaswn wedi ymweld â'u bedd. Fel yr ysgrifennai R. C. Scott yn ei lyfr am lafur y Crynwyr yn Rwsia, mae'n debygol bod y gwaith wedi bod yn gymorth i wella iechyd pobl oedd yn byw yn St Pedrbwrg y pryd hwnnw a'r cenedlaethau i ddilyn trwy fod yn gymorth i gynhyrchu bwyd a lleihau'r amodau sy'n arwain at afiechydon. Yn wahanol i Foscfa, dinas a gafodd ei hadeiladu yn bwrpasol oedd St Pedrsbwrg, o dan arweiniad Pedr Fawr.

Safai institiwt Hertzen ar stryd Plechanofa, enwau a gofnodai fywydau a gwaith unigolion a fu'n ddylanwadol yn y Chwyldro. Gadawodd Hertzen ei ôl ar feddylfryd addysg a gadawodd Plechanof a Hertzen eu hôl ar wleidyddiaeth. Roeddwn yn aros mewn hostel neu *obzhezhitie* dipyn llai y tro hwn ac yn rhannu ystafell gyda hogan arall o Brydain. Yr oedd bywyd dipyn haws. Nid oeddwn yn siarad cymaint o Rwsieg gan fy mod yn rhannu ystafell gyda myfyrwraig Saesneg, ac roedd yna dipyn llai o fyfyrwyr yn y gwersi. Roedd yma fwy o fwyd hefyd – er nad oedd llawer o ddewis, ond roedd digon i'w fwyta yn y ffreutur. Nid oedd bywyd mor wahanol, rŵan, i fywyd mewn unrhyw dref neu ddinas.

Teimlais fod y dull o ddysgu yno yn wahanol i Foscfa. Efallai fod fy ngeirfa a'm gramadeg yn ddigonol bellach i fedru ymdopi ag ychydig o drafodaeth ar wahanol bynciau a meysydd. Yr oedd y gwersi'n ddifyr – darllen, dealltwriaeth a thrafodaeth. Roeddwn wrth fy modd.

Cefais bwt o hanes yr institiwt wedi ei ysgrifennu mewn llawlyfr bychan *Potshitaem na doswge* (1979) – 'Darllenwn yn ein hamser hamdden' - a roddwyd i ni gan un o'r tiwtoriaid. Ffurfiwyd yr institiwt yn 1918

gydag ymdrechion Lwnatsharsci a Gorci ymysg ysgolheigion eraill. Erbyn hyn roedd gan yr institiwt 14 o gyfadrannau ac oddeutu pum mil o fyfyrwyr. Ni wyddwn pam yr oedd yr institiwt yn cael ei galw'n 'Herzen' yn Saesneg, gyda'r llythyren 'H'. Yn Rwsieg, Gertsen oedd yr enw. Nid yw'r llythyren 'H' yn bodoli yn Rwsieg ond mae'r llythyren 'G' ar gael yn Rwsieg, Cymraeg a Saesneg.

Mae un o'r tiwtoriaid yn aros yn fy nghof. Dynes a ystyriais yn oedrannus yr adeg honno a finnau yn fy nauddegau, dynes llawn cynhesrwydd. Roedd yr ystafell lle caem ein gwersi, felly hefyd – yn ystafell gartrefol. Eisteddem, os cofiaf yn iawn, mewn cylch, gyda'r tiwtor yn cadw llygad arnom a dyma be roddodd hi i ni i'w ddarllen:

Тексты
Охрана природы - одна из важнейших проблем современности. Эта проблема переросла национальные границы, стала глобальной. Учитывая это, международная конференция ООН в 1972 году приняла решение проводить ежегодно 5 июня Всемирный день окружающей среды.

В нашей стране постоянно проявляется забота об охране природы. Эта проблема неразрывно связана с улучшением здоровья, проделением жизни и разботоспособности нашего и будущего поколений людей.

С 1975 года в плане развития народного хозяйства СССР вводится специальный раздел, связанный с охраной окружающей среды.

Задание. Расскажите об охране природы в вашей стране.

A dyma gyfieithiad:

Testun
Cadwraeth natur – un o broblemau hanfodol y byd modern. Tyfodd y broblem hon oddi mewn i ffiniau gwladwriaethol a daeth yn broblem fyd-eang. Wrth ei astudio penderfynwyd, mewn cynhadledd y Cenhedloedd Unedig yn 1972, ddynodi 5 Mehefin yn Ddiwrnod Amgylchedd y Byd.

Mae yna ofal ar gyfer cadwraeth natur yn ein gwlad ni. Mae ymdrin â'r broblem yn gysylltiedig gyda gwelliant iechyd, estyniad bywyd a gallu cenedlaethau o bobl.

O 1975 ymlaen, yng nghynllun datblygu amaethyddiaeth yr Undeb Sofietaidd, cyflwynwyd endid arbennig sy'n gysylltiedig â diogelu'r amgylchedd.

Y dasg. Dywedwch wrthyf am gadwraeth natur yn eich gwlad chi. A dyna fu'r drafodaeth. Ond nid wyf yn cofio cynnwys ein trafodaeth erbyn hyn. Ac wrth gwrs mae'n dal yn bwnc perthnasol o hyd.

Dyma enghraifft arall y cefais i'w ddarllen allan ar gyfer trafodaeth:

Адресовано миллионам

Среди тысяч книг эта книга занимает особое место. Речь идёт о 'красной книге'. Первое издание этой книги вышло в свет в 1978 году (в СССР). В ней говорится о редких и находящихся под угрозой исчезновения видах животных и растений СССР. На её странницах рассказывается о 155 видах и подвидах млекопитающих амфибий и рептилий, о 443 видах растений.

В 'Красной книге' странницы имеют красный, зелёный и белый цвет. На красных странницах рассказывается о животных и растениях, которые надо спасать, так как им грозит вымирание.

Зелёные страницы внушают оптимизм и свидетельствуют о том, что усилия человека не пропали даром. На белых страницах рассказано о животных и растениях, которым вымирание не угрожает.

Теперь специалисты приступают к составлению 'Зеленой книги'. В ней будут собраны сведение о состоянии и необходимых мерах охраны редких ландшафтов и растительных сообществ. Будет дан перечень существующих заповедных территорий.

Задание. Ответьте на вопросы.

1. Когда вышло первое издание 'Красной книги' в СССР?
2. О чем будет рассказано в 'Зеленой книге'?

3. Что вы знаете о Red Date Book, которая напечатана в 1966 году?
4. Расскажите об охране природы в нашей стране.
5. Как вы думаете, чем может помочь каждый человек в этом благодарном деле?

A dyma'r cyfieithiad:

Cyfeirio at y miliynau

Ynghanol miliynau o lyfrau, mae gan y llyfr hwn le arbennig. Yr hyn sy'n cael ei gyfeirio ato yw'r 'Llyfr Coch'. Daeth y cyhoeddiad i olau dydd gyntaf yn 1978 (yn yr Undeb Sofietaidd). Ynddo sonnir am rywogaethau anifeiliaid a phlanhigion prin yr Undeb Sofietaidd sydd mewn perygl o ddiflannu. O fewn ei dudalennau, sonnir am 155 rhywogaeth ac is- rywogaeth o famaliaid, amffibiaid ac ymlusgiaid, a 443 math o blanhigion.

Mae gan y 'Llyfr Coch' dudalennau lliw coch, gwyrdd a gwyn. Ar y tudalennau coch siaredir am anifeiliaid a phlanhigion sydd angen eu hachub, gan eu bod o dan fygythiad o ddiflannu'n llwyr. Noda'r tudalennau gwyrdd optimistiaeth a thystiolaeth nad oedd ymdrechion dyn yn ofer. Yn y tudalennau gwyn sonnir am anifeiliaid a phlanhigion nad oedd perygl iddynt ddiflannu.

Bellach, mae arbenigwyr yn dechrau llunio 'Llyfr Gwyrdd'. Ynddo bydd cymysgedd o fesurau angenrheidiol ar gyfer diogelu tirweddau prin a chymunedau o blanhigion, a rhestr o ardaloedd sydd wedi'u diogelu eisoes.

Y dasg. Atebwch y cwestiynau canlynol:
1. Pa bryd y cafodd y 'Llyfrau Coch' eu cyhoeddi yn yr Undeb Sofietaidd?
2. Beth a drafodir yn y 'Llyfr Gwyrdd'?
3. Beth ydych chi'n ei wybod am y Llyfr Dyddiadau Coch a gafodd ei gyhoeddi yn 1966?
4. Soniwch am gadwraeth natur yn eich gwlad chi.
5. Beth ydy eich barn, sut y medr pob unigolyn roi cymorth yn y maes gwerth chweil hwn?

Unwaith eto, nid wyf yn cofio'r sgwrs a ddilynodd, ond pynciau a chwestiynau arddderchog yn fy marn i, a thebyg bod y wers wedi cael dylanwad arnaf pan fyddaf yn meddwl am natur.

Wrth fynd allan i'r stryd a chrwydro'r ddinas unwaith eto, dechreuais gofio rhai o'r adeiladau nodedig o fy ymweliad cynharach, pan oeddwn yn teithio adref ar y trên. Gwelais feindwr adeilad y Morlys wrth gerdded i lawr Nefsci Prospect, prif stryd y ddinas. Roedd y Palas Gaeaf, canolbwynt Chwyldro 1917, a'r cerflun efydd o Pedr Fawr ar gefn ceffyl ar ochr arall un o'r nifer fawr o bontydd a roddai'r disgrifiad 'Fenis y Gogledd' i'r ddinas.

Roedd Palas Catrin Fawr yn Tsarscoie Selo neu 'Tref y Tsar' ac roedd hwnnw'n parhau i gael ei adnewyddu ar ôl difrod helaeth a ddigwyddodd yn ystod yr Ail Ryfel Byd. Nid oedd o eto wedi'i ddychwelyd i'w gyflwr crand cyn y rhyfel. Roedd y bardd Anna Achmatofa wedi byw yn nhref Tsarscoie Selo yn ystod y cyfnod cyn y Chwyldro fel yr oedd y byd yn ymwthio i newid. Efallai fod y byd wrthi'n newid eto. Ar y stryd cefais yr argraff fod rheolau wedi'u llacio a bod y ffiniau rhwng y farchnad ddu a rhwydwaith ddosbarthu nwyddau a bwyd y Wladwriaeth yn ymdoddi i'w gilydd. Eisteddais mewn caffi un diwrnod gyda ffrind pan ddaeth dyn atom a gofyn:

'Oes gennych chi *shoes* i werthu?' gofynnodd.

Yr oedd *shoes* a *jeans* wedi mynd yn eiriau masnachol yn y farchnad ddu, a honno'n cael ei chynnal ar y stryd mewn mannau reit gyhoeddus.

Ond nid oedd y ffiniau wedi diflannu'n llwyr chwaith. Un diwrnod, wrth i mi grwydro o gwmpas siop lyfrau fawr wladwriaethol *Dom Cnigi* ar Nefsci Prospect, clywais bobl yn siarad Saesneg. Wel, yr oedd rhaid i mi ddweud helô. Roeddynt ar eu gwyliau o Brydain. Ar ôl sgwrsio am ychydig es yn ôl i bori trwy'r llyfrau. Ychydig funudau wedyn daeth un ohonynt ataf i ofyn am gymorth.

'Fedrwch chi'n helpu ni?'

'Beth sydd?' gofynnais.

Eglurodd bod un ohonynt, dyn proffesiynol, wedi cyfnewid arian sterling am rwblau gyda bachgen pymtheg oed yn y siop a'r bobl oedd yn gweithio yn y siop wedi mynd â'r ddau i ffwrdd. Nid oedd rwblau yn drosadwy ar y farchnad arian ryngwladol. Yn ôl cyfraith y wlad, yr oedd y rwbl yn cael ei gyfnewid am un bunt. Ond ar y farchnad ddu yr oedd yn bosib i un bunt gael ei chyfnewid am bum rwbl.

'Fedrwch chi ddweud wrthyf lle mae cyfaill y person yma wedi mynd?' gofynnais i weithwraig y tu ôl i'r cownter,

'I swyddfa'r gweinyddwr,' atebodd.

'Lle mae hwnnw?'

Aeth hi â ni yno.

Eisteddai'r gweinyddwr y tu ôl i ddesg. Safai bachgen pymtheg oed ar y dde i mi gyda dyn mawr mewn siwt gydag wyneb a lwyddai i edrych yn llym yn ogystal â llwm. Ar y chwith, safai dyn arall mewn siwt gydag wyneb ac edrychiad gwag yn taro ei law chwith efo dwrn ei law dde. Edrychais yn syn arno. Fedrwn i ddim coelio fy llygaid ei fod o'n gwneud y ffasiwn beth. Yr unig le yr oeddwn i wedi gweld rhywun yn taro'i law efo'r dwrn arall oedd ar hen ffilmiau Americanaidd am gangsters yn Chicago. Wrth ei ochr, wedi'i wisgo'n llewyrchus, eisteddai'r gŵr o Brydain.

Gofynnais i'r gweinyddwr beth oedd yn mynd i ddigwydd iddo, gan egluro bod ei gyfeillion yn poeni amdano.

'Cael ei yrru adref.'

Edrychais ar y bachgen.

'Pum mlynedd mewn carchar llafur.'

Nefoedd yr adar.

Eglurais wrth ffrindiau'r gŵr y byddai'n cael ei yrru adref, cael ei 'deportio' ar ddiwedd y gwyliau mwy na thebyg. Teimlais yn gyfoglyd, trois ar fy sawdl a cherddais i ffwrdd.

Daliais fws i lan y môr – geneufor Ffindir. Nid oedd y rhew wedi dadmer yn hollol. Gorweddai'n drwchus o fy mlaen a gwelais ddau bysgotwr yn pysgota trwy dwll yn y rhew. Sefais yn ofalus ar y rhew. Roedd yn teimlo'n iawn. Cerddais yn ofalus allan tuag atynt. Nid oedd y ddau yn edrych fel petaent eisiau sgwrsio efo hogan ddieithr. Cefais gipolwg ar y môr yng ngwaelod y twll ac un pysgodyn yn gorwedd mewn bwced cyn troi'n ôl am y lan.

Edrychais ar y cwrlid gwyn yn ymestyn o fy mlaen. Pa ffordd wnes i ddod? Troediais yn ofalus, un droed o flaen y llall gan ochneidio gyda rhyddhad wrth i mi weld fy mod yn agosáu at y lan. Roeddwn wedi ymlacio ac anghofio pryderu pan aeth fy nhroed trwy'r rhew ac i lawr â mi at y pen-glin.

Nid oeddwn eisiau i'r goes arall fynd yr un ffordd. Tynnais y droed wlyb allan cyn mentro eto. Ond erbyn i mi groesi'r mymryn bach o rew a oedd rhyngof a'r lan yr oedd y ddwy droed yn wlyb. Eisteddais ar y bws adref efo fy nhraed wedi rhewi'n gorcyn a'r digwyddiad yn y siop lyfrau wedi ei wthio i blith haen o atgofion yn yr ymennydd.

Daeth patrwm y dyddiau yn amlycach. Gwersi gyda nifer bychan ohonom a rhythm mwy hamddenol o lawer. Dim traethawd hir i'w ysgrifennu y tro hwn ond yn hytrach llunio prosiect. Dewisais ysgrifennu am y cysylltiad rhwng addysg a gwaith. Yr oedd angen defnydd o ffynonellau gwreiddiol a threfnwyd ymweliadau i ysgolion a man gwaith.

Ffatri beiros oedd y man gwaith. Yr oedd y cyntedd yn ddeniadol gyda lluniau o unigolion wedi eu fframio ar y waliau. Cefais fy nhywys yn amyneddgar o gwmpas y ffatri gan un o'r swyddogion. Ceisiais wrando'n astud er mwyn dehongli ei eiriau ac ar yr un pryd sylwi ar yr hyn a oedd o fy nghwmpas.

'Mae pawb yn dechrau'r diwrnod gydag ymarfer corff,' dywedodd.

Nid oeddwn wedi clywed am y syniad hwnnw o'r blaen. Yr oedd y ffatri yn ddigon tebyg i unrhyw ffatri arall, ond disgynnodd fy llygaid ar ryw restr ar y wal – rhestr meddwdod.

'Wel', meddyliais, 'mae hynna'n syniad reit dda!'

Teimlais yn annifyr yn edrych ar bobl yn gweithio. Cuddiodd un person ei frechdan wrth i mi agosáu. Wyddwn i ddim beth i'w ddweud. Erbyn i mi gyrraedd y prif weithiwr yr oedd pwysau'r ffurfioldeb yn fy nghaethiwo.

'Dyma ein prif weithiwr,' meddai'r swyddog gan fy nghyflwyno'n amyneddgar i ddynes a eisteddai o flaen nifer o feiros.

Rhoddai'r tiwb tenau o inc yn ei gas plastig un ar ôl y llall heb stopio. Roedd hi'n medru gweithio'n gyflymach na neb arall. Esiampl heb ei ail o berson yn gwneud ei rhan er mwyn cyflawni'r cynllun pum mlynedd ar gyfer yr economi.

Edrychodd hi ddim i fyny ac ni fu cyfle i'w chyfarch na dweud 'helô'. Diolchais i'r ddau ohonynt am eu hamser, ac am eu caredigrwydd yn rhoi o'u hamser i fyfyrwraig a oedd yn ceisio ysgrifennu ei phrosiect.

Er mwyn fy nghefnogi gyda fy mhrosiect trefnwyd ymweliad ag ysgol gynradd hefyd. A oedd yna drefn wahanol o dan gyfundrefn Gomiwnyddol y wlad? A oedd plant a phobl ifanc yn fwy hapus, yn fwy creadigol, wedi datblygu eu llawn botensial fel bodau dynol, yn ysbrydol, corfforol, deallusol a chyda sgiliau ymarferol? Neu a ddylwn ofyn cwestiwn mwy penodol? Efallai mai holi pa fformiwla roedd addysg yn ei defnyddio i helpu cyflawni'r cynlluniau pum mlynedd ar gyfer economi'r wlad? Mewn gwirionedd roeddwn angen ymweld ag ysgol uwchradd a cholegau ar gyfer y testun, ond ysgol gynradd a gynigiwyd i mi a dyna a fu.

Eisteddai'r plant mewn rhesi, fel yr oeddwn i wedi gwneud yn yr ysgol. Efallai ar gyfer dysgu ar y cof. Ni wyddwn beth i'w ddisgwyl – byrddau crwn a'r plant yn eistedd yn dysgu trwy gydweithio ar brosiect efallai? Er syndod i mi, ymysg y llyfrau ar y silff yn y dosbarth roedd llyfryn o'r enw 'Storïau am Lenin' gyda darlun o Lenin yn edrych yn addfwyn a phlant bychain yn eistedd o gwmpas ei draed. Edrychai'r llyfr fel llyfr *Storïau am Iesu* fy mhlentyndod.

Cefais groeso heb ei ail gan yr athrawes a'r plant, môr o gynhesrwydd digon i yrru rhywun at ddagrau. Nid oedd dim i'w weld yn wahanol i ysgolion Cymru. Athrawes ymroddgar a phlant annwyl. Gadewais wedi fy llwytho gyda doliau *matrioshca* yn anrhegion ac wedi synnu braidd at y llyfryn duwiol-wleidyddol ar gyfer y plant.

Hwyach mai'r un un broses wleidyddol oedd yn bodoli yma – gwau traddodiadau gyda dogma er mwyn uno poblogaeth at ddiben gwleidyddol. Hen, hen stori efallai.

Am beth oeddwn i'n chwilio? System addysg ddelfrydol a oedd yn dysgu plant beth oedd ei angen ar gyfer bywyd a hynny wedi ei seilio ar gariad? Dyna oedd neges fy hyfforddiant fel Nyrs Feithrin gan ddiwtoriaid Cymraeg yr ardal ym magwyd i ynddo – dehongliad o'r Beibl a oedd yn pwysleisio 'Duw cariad yw'.

Diolch i'r nefoedd am y canu yn yr Athrofa. Awel iach o nodau swynol. Cantorion gwych mewn noson wedi ei threfnu i'n diddanu. Cefais wahoddiad gan unawdydd 'Fechernii Sfon' – 'Clychau'r Nos' i swper gyda'i theulu.

Yr oedd Sonia yn byw gyda'i mam a'i thad ar ochr arall un o'r 525 o bontydd y ddinas. Yn fy llawlyfr bychan *Potshitatem na doswge* (1979) disgrifiwyd Leningrad fel dinas o afonydd a chamlesi. Rhannai'r afon Nefa y ddinas yn ddwy ran, gogleddol a deheuol, ac roedd oddeutu 70 o afonydd a chamlesi yn creu nifer o ynysoedd bach a mawr. Doedd hi ddim yn anodd gweld pam yr oedd Leningrad yn cael ei galw yn 'Fenis y Gogledd'.

Fel Catia, yr oedd rhieni Sonia yn aelodau o'r unig blaid a oedd yn bodoli, sef plaid gomiwnyddol y Wladwriaeth. Yn fy nhyb i yr oeddynt yn rhyddfrydwyr, digon tebyg eu barn i ddarllenwyr papur newydd y *Guardian* ym Mhrydain. Yr oeddynt yn iau na chenhedlaeth Catia. Gwisgai Sonia ddillad modern yr oedd wedi eu gwnïo ei hun. Cefais noson o gwmni cyfeillgar y teulu bach croesawus, swper yn eu fflat fechan, glân, twt a modern gan ddychwelyd adref gyda thacsi cyn i un o bontydd y ddinas, un yr oeddwn angen ei chroesi, gau dros nos.

Y noson honno gorweddais yn fy ngwely a darllenais ychydig bach mwy allan o'r llawlyfr *Potshitaem na doswge* am bontydd y ddinas a cheisio ateb y cwestiynau a oedd yn dilyn y testun. Darllenais y cwestiwn yn araf i mi fy hun yn fy Rwsieg gorau gan geisio geirio'n glir.

'Pa bryd cafodd y bont gyntaf barhaol ar draws y Nefa ei hadeiladu?'

Ar ôl chwilota am yr ateb yn y testun dyma fi'n geirio'n ofalus eto gan geisio sicrhau bod yr acen yn disgyn ar y sill gywir.

'Cafodd y bont barhaol gyntaf ei hadeiladu yn 1850. Enw'r bont oedd Lieutenant Schmidt.'

Neu Smith? Na *Schmidt*, enw Almaeneg.

'Pam y bu i Bont yr Eifftiaid ddymchwel?'

*Pont Dfortsofii,
St Pedrbwrg*

'Dymchwelodd Pont yr Eifftiaid oherwydd pwysau a rhythm traed ceffylau uned o farchfilwyr yn 1905. Cafodd y bont fodern ei chodi yn 1955.'

Yr oedd yr ystafell yn un fwy na'r ystafell yr oeddwn wedi ei rhannu ym Moscfa. Gorweddai'r ferch yr oeddwn yn rhannu ystafell efo hi ar y llawr. Yr oedd hi'n gwneud siâp siswrn efo'i choesau.

'Did you have a nice time?' gofynnodd Margaret.

'Yes thanks, what are you up to?' meddwn innau.

'Just doing my exercises before going to bed, don't mind me.'

'Do you mind me reading this out aloud?' gofynnais.

'Not at all,' meddai'n garedig.

Dyma fi'n parhau yn fy llais darllen gorau.

'Pa bryd cafodd Pont Dfortsofi ei hagor?'

'Agorwyd Pont Dfortsofi yn 1916.'

'Pa bryd y cychwynnwyd gosod goleuadau trydan ar y pontydd?'

'Cychwynnwyd gosod goleuadau trydan ar y pontydd yn 1879. Rhain oedd y rhai cyntaf yn y byd i gael eu gosod.'

Yr oedd fy llais yn gwanio oherwydd blinder, yr oeddwn bron â chysgu.

Daeth sŵn gwynt o gyfeiriad y siswrn corfforol ar y llawr.

'Sorry about that,' meddai Margaret.

Y bore trannoeth yr oedd yna ymweliad â'r Feudwyfa Wladwriaethol. Yr oeddwn wedi cerdded o'i chwmpas bum mlynedd ynghynt heb wybod dim o'i hanes. Bellach yr oeddwn yn gwybod ei bod yn un o amgueddfeydd amlycaf y byd ac wedi ei lleoli yn rhannol yn y Palas Gaeaf Ymerodraethol. Gwyddwn hefyd fod angen esgidiau cyffordus i gerdded o'i chwmpas.

Eisteddais i lawr am dipyn i ddarllen fy *Blue Guide Moscow and Leningrad*. Bu'r newid o fod yn balas i fod yn amgueddfa yn un graddol. Roedd Catherine II wedi casglu gwaith celf o Orllewin Ewrop gan gychwyn efo darluniau Fflemaidd ac Iseldiraidd yn 1764.

Darllenais fod ei hwyrion, Alecsander I, ac yn arbennig Nicolas I, wedi dilyn ei hesiampl. Agorodd Nicolas I yr amgueddfa i'r cyhoedd yn 1852 ar ôl ychwanegu at y casgliad a chomisiynu'r Feudwyfa Newydd. Ar ôl Chwyldro 1917, sefydlwyd adeiladau'r Feudwyfa yn amgueddfa wladwriaethol a daliwyd ati i gasglu gwaith celf Gorllewinol.

Yr oedd y dywyswraig yn ardderchog, gyda ffeithiau a dyddiadau'n disgyn fel perlau o wybodaeth ganddi. Ond ar ôl dwy awr neu fwy bu'n rhaid i mi ildio i'r ysfa i gerdded o gwmpas ar fy mhen fy hun er mwyn edrych ar un neu ddau beth a wnaeth argraff arnaf. Ni fedrwn dreulio mwy o ffeithiau am y trysorau lliw ac aur Ewropeaidd a Rwsiaidd cyn ymuno'n ôl gyda'r dorf o gwmpas y dywyswraig.

'Ffenestr ar y Gorllewin oedd breuddwyd Pedr Fawr ar gyfer St Pedrbwrg.' Daeth geiriau'r dywyswraig o rywle yng nghanol y dorf.

Ystyriais sut fod St Pedrbwrg yn ffenest ar y Gorllewin? Roedd naws yr adeiladau a'u cynnwys mor Ewropeaidd. Os mai ffenest oedd Leningrad, roedd yn ffenest mewn steil Orllewinol iawn. A oedd Pedr Fawr eisiau creu argraff ar y Dwyrain yn ogystal â'r Gorllewin? Cofiais y sgwrs efo myfyriwr meddygol yn Chabarofsc, dinas yn y Dwyrain Pell Sofietaidd. Siaradai Saesneg a Rwsieg ond edrychai'n Asiaidd. Cerddasom o gwmpas parc y dref yn trafod hyn a'r llall. Yr oedd yn hyfforddi i fod yn feddyg ac roedd y cyflog yn llawer is na bron unrhyw waith arall. Cefais yr argraff ei bod yn wir alwedigaeth iddo. Pan ddywedais fy mod i'n mynd i Foscfa a Leningrad, ei syniad o ohonynt oedd fel dinasoedd y Gorllewin Pell.

I mi edrychai Leningrad yn debycach i ffenest ar y Dwyrain wedi'i chreu gan bobl o dras Orllewinol. Cyrff a edrychai'n Orllewinol wedi eu gwasgu dros yr oesoedd o gwmpas eneidiau dwyreiniol Bysantiwm. Ffenestr fawr ymerodraethol ar y Dwyrain. A hynny yn oes yr ymerodraethau. A pha oes oedd hi rŵan tybed? Oes natur yn galw arnom, dyna ddigon mae'n siŵr, fel yr awgrymwyd gan y llyfrau Coch a Gwyrdd? Dechreuais feddwl am y cwestiynau a roddai'r tiwtor i ni.

Mae hi'n amhosib ateb cwestiwn 4 y tiwtor bellach, sef cadwraeth natur yn ein gwlad ni, heb feddwl am ein defnydd o ynni. A ninnau'n defnyddio olew o fôr Caspia a phibellau mawr trwy Georgia a nwy o Ogledd Siberia trwy'r Wcráin. Beth wedyn am gadwraeth natur yn ein gwlad? A faint o ffrwgwd a rhyfela dros olew a nwy sy'n mynd ymlaen yn y byd a'r rhew yn toddi o dan draed y Sami a phobl grwydrol eraill fel y Nenet a'u ceirw? A dyma ni, fel petai ni ar olwyn injan ein heconomi, fel petai ni ddim yn gwybod sut i neidio i ffwrdd ac nid oes dim crandrwydd nag unrhyw balas na faint fynnir o aur am fod yn gymorth i ni, dim ond ni'n hunain, y silidons ac adar, dim ond y pethau bychain.

Dail yn Hydref

PENNOD 9

Pa beth yw dyn?

Beth yw byw? Cael neuadd fawr
Rhwng cyfyng furiau.
Beth yw adnabod? Cael un gwraidd
Dan y canghennau.

('Pa beth yw dyn?' Waldo Williams)

*Hawlfraint Eluned Richards
ar ran ystad Waldo Williams©
Trwy ganiatâd caredig Gwasg Gomer*

Rhyw fore yn 1986, daeth llythyr trwy'r blwch post a disgyn ar y mat. Plygaf i'w godi. Mae'r llythyr wedi ei wasgu'n dynn mewn amlen las golau a'm cyfeiriad wedi ei ysgrifennu'n chwithig arno yn y dull Rwsieg gan ddechrau efo *Felicobritania* – Prydain Fawr ac wedyn Lloegr ac wedyn y dref, ac wedyn y stryd ac yn y gwaelod, fy enw mewn Rwsieg i gyd. Llythyr gan Ania efo stamp Pwylaidd a chyfeiriad yng Ngwlad Pwyl ar y cefn. Nid hawdd oedd darllen ei llawysgrifen flodeuog.

*Дорогая Уэнди,
Dorogaia Wendy,
Annwyl Wendy,
Sut mae bywyd efo chdi?*

... ers i Chernobyl chwythu mae bywyd wedi bod yn galed iawn yma. Pan gyhoeddwyd y newyddion am y ffrwydrad, rhoddwyd ïodin i ferched beichiog a phlant hyd at 17 mlwydd oed. Fel yr wyf yn deall, dylid rhoi ïodin cyn unrhyw ddigwyddiad os yw am weithio.

Y bobl yn ardaloedd gogledd-ddwyrain Gwlad Pwyl sydd wedi dioddef fwyaf. Roedd yna si fod trigolion yr ardaloedd mwyaf peryglus am gael eu symud, ond ni chawsant.

Mae pob dim rŵan wedi mynd yn dawel. Ond mae merched beichiog yn cael erthyliadau. Maen nhw'n cael erthyliadau yn gyfreithlon. Maent yn dweud nad ydynt eisiau plant â nam arnynt. Os faswn i yn yr un sefyllfa mi faswn yn gwneud yr un peth.

Teimlais yn rhyfedd yn seicolegol y dyddiau hynny oherwydd fy mod i'n ymwybodol fod yna rywbeth drwg yn digwydd er bod y tywydd yn braf, yr aer yn lân a hithau'n boeth iawn. Uchafbwynt y tymheredd oedd 30c, sydd ddim yn normal ym mis Mai yng Ngwlad Pwyl. Mae ffermwyr yn ei chael hi'n anodd gwerthu eu cynnyrch oherwydd ei fod wedi ei lygru gan yr ymbelydredd. Anhygoel sut mae o wedi effeithio ar ein tirwedd. Mae ein ffermwyr yn sefyll ar ochr lôn yn ceisio ei werthu a phawb ofn ei brynu, ofn ei fwyta...

...mae mamau yn poeni'n ofnadwy am effaith ymbelydredd ar y ffoetws yn eu croth.

Chernobyl a'i law ymbelydrol yn wylo'n dawel ar draws Ewrop ac ar dirwedd hardd Cymru. Yn Rwsia roedd y sefyllfa llawer gwaeth. Sut mae gwair yn goroesi ymbelydredd a ninnau'n pydru? Druan o Gorbatshef, arweinwr newydd yr Undeb Sofietaidd, roedd Chernobyl yn drasiedi i'r bobl ac i'r wlad. I lawer, roedd Gorbatshef wedi symbylu awel ffres o newid yn Rwsia.

Fel yr aeth yr wythnosau heibio sylwais fod mwy o lysiau o Wlad Pwyl ar werth yn yr archfarchnadoedd a'r farchnad leol, nionod, tatws, moron. Nes i ddim eu prynu er bod y pris yn rhatach. Roedd llythyr Ania wedi codi ofn eu bwyta arnaf innau hefyd.

Cefais lythyr arall, y cyfeiriad ben i lawr eto, gan Sergei y tro hwn. Roedd o wedi cael gwaith yn theatr Taganca.

'Дорогая Уэнди,
Я часто вспоминаю о тебе, о том времен, когда мы встретились гуляли вместе, обедали у меня дома. Вспоминаю как в последний раз гуляли по Арбату и я провожал тебя до метро. Помнишь?...'

...'Mae fy mywyd yn mynd yn dda. Dwi'n gweithio yn Theatr Moscfa rŵan, yn y Taganca. Fe wyddost ti am y theatr hon? Iwri Lwbimof oedd ei brif gyfarwyddwr cynt. Rŵan mae o yn y Gorllewin ac yn enwog iawn. Wyt ti wedi clywed amdano? Mae o'n gwneud sioe yn Lloegr. Mae yna gyfarwyddwr arall yn y theatr a dwi'n ei helpu fo. Mae'r gwaith yn ddiddorol, dwi wrth fy modd efo fo. Dwi'n gweld ysgrifenwyr enwog, cyfarwyddwyr a beirdd yn y theatr. Er enghraifft, wnes i gyfarfod Bwlat Ocwdzhafa, y soniais i amdano wrthat ti. Dwi eisiau rhoi gwadd i ti i'r theatr. Dwi'n meddwl y gwnei di ei fwynhau yn arw...'

Nid oeddwn wedi bod yn Theatr Taganca erioed. Safai ym maes Taganca, mewn ardal ar ymylon canol Moscfa. Theatr Drama a Chomedi oedd hi cyn i Lwbimof ddychwelyd yno yn gyfarwyddwr artistig yn y chwedegau. Ysgrifennodd Birgit Beumers lyfr ardderchog amdano. Dywedodd mai Lwbimof a ychwanegodd y gair *tagan* i enw'r theatr, gair sy'n golygu 'trybedd' ac yn arwydd bod y theatr mewn lleoliad dosbarth gweithiol lle bu trybeddau yn cael eu cynhyrchu. Yng nghyntedd y theatr, yn ôl Beumers, mae darluniau o bedwar cyfarwyddwr theatr, mawrion ein canrif, Stanislafsci, Meierhold, Fachtangof a Brecht, a'r rhain a ddylanwadodd ar waith Lwbimof. Yn ystod y cyfnod hwn sefydlodd y theatr yn theatr *avant-garde* - theatr farddonol yn ymwneud â throsiadau. Alltudiwyd Lwbimof yn ystod ymweliad i'r Gorllewin yn 1984, ar ôl iddo fod yn feirniadol o'r drefn yn Rwsia gyda'i ddehongliad o 'Y Meistr a Margarita' gan Bwlgacof, nofel y gellir dadlau sy'n feirniadol o'r natur ddynol yn ei chyfanrwydd. Ond am gyfnod byr yn unig y bu'n alltud a dychwelodd adref ar ôl *perestroica* Gorbatshef. Cafodd ddychwelyd yn ôl yn gymharol ddidrafferth yn 1988 ar ôl peth llwyddiant gyda'i grefft yn y Gorllewin. Ysgrifennai Beumers mai sosialydd oedd Lwbimof yn ei galon, wedi ei siomi gan wyrdroi delfryd Chwyldro'r Hydref. Efallai fod Lwbimof wrthi'n cael ei alltudio tra roedd Sergei a finnau'n ymlwybro o gwmpas yr Arbat.

Theatr *repertoire* yw'r Taganca gyda rhaglen yn cynnwys *Y Person da o Sezuan* gan Brecht, *Y Meistr a Margarita* o waith Bwlgacof, *Ten days that Shook the World* gan John Reed, y newyddiadurwr Americanaidd, a *Hamlet* Shakespeare. Chwaraewyd rhan Hamlet gan y bardd gitâr hwnnw gyda'r llais ffyrnig – Fysotsci.

Aeth y blynyddoedd heibio. Cefais ambell lythyr gan Ania ond ni welais mohoni eto, na Sergei, na Madonna na neb arall o'r cyfnod hwnnw. Byddaf yn meddwl amdanynt o dro i dro, yn gobeithio bod bywyd yn eu trin yn garedig.

Cefais daith fer yn 1991, ger yr afon Folga fawr, heb fod ymhell o weriniaeth Tatar, gan frasgamu trwy Foscfa. Nid lifrau milwrol a wisgai swyddogion y maes awyr erbyn hyn ond gwisg fodern. Chwifiais heibio'r duty free newydd. Roedd y rwbl bellach yn gallu cael ei chyfnewid yn swyddogol ac yr oedd yna fanc newydd sbon wedi ei adeiladu ger Bryniau Lenin. Eisteddais yn fflat y bobl yr oeddwn yn aros gyda nhw, Michail ac Olga, un noson yn sgwrsio. Ysgwydodd Michail ei ben gan ddweud:

'Mae ein harian rŵan fel arian pren, yn werth dim byd.'

Yr oedd y gwŷr busnes a'r gwleidyddion yn ffurfio cysyniadau newydd fel dawns ansicr, lletchwith i fiwsig *glasnost* a *perestroica*. Nid felly Michail. Ar ôl swper, penderfynodd o a'i gyfaill fynd i'r goedwig am ymgom ac ambell gân gyda'i gitâr. Clywaf un o ganeuon Fysotsci yn disgyn o'u gwefusau fel dail yr hydref wrth iddynt gerdded heibio'r ffenestr.

Ac eto mae'r blynyddoedd yn chwipio heibio. Tra mewn *stolofaia* yn Gwm, y ganolfan siopa grand ger y Cremlin, lle a oedd yn siop wladwriaethol blaen yn yr wythdegau, rwyf yn gwneud ffŵl o fy hun trwy ddweud wrth ddynes ifanc yn sefyll o fy mlaen yn y ciw pa mor neis yw hi i weld caffi traddodiadol gyda bwyd traddodiadol. Dywedodd wrthyf ei bod yn cofio *stolofaia* fel hyn pan oedd hi'n ferch fach ac rwyf yn sylweddoli wedyn, ei fod mor 'retro' iddi hithau ag 'American diner' y pumdegau i mi! A minnau'n meddwl mai un go iawn oedd o, wedi ei gyflwyno'n ddel! Roedd y bwyd yn ardderchog a digon ohono fo. Roedd digonedd o fwyd i'w weld ym mhobman. Diolch i'r nefoedd. Mwynheais y *ceffir* a'r *smetana*, teimlwn fel petai fy nghorff yn hiraethu am eu cynnwys. Ni welais y bara rhyg y dibynnais gymaint arno gynt, ond doedd dim amser gennyf i chwilio amdano chwaith.

Edrychai'r Sgwâr Coch yn llai i mi ac nid oedd yn teimlo mor ffurfiol. Teimlai llawer mwy fel maes ar gyfer hamdden. Roedd y mynediad wedi newid ac nid oedd yna le i'r ceir du chwifio i mewn i'r sgwâr bellach. Yn ôl yr arweinydd, ail grëwyd mynediad o'r hen oes ac fe edrychai fel mynediad i geffyl a throl. Efallai mai ystyriaethau diogelwch oedd yn gyfrifol. Roedd adeilad newydd arall yn plethu i mewn gyda'r waliau gwreiddiol. Yr oedd pob adeilad yng nghanol y brifddinas yn edrych fel pe baent mewn cyflwr ardderchog, wedi eu peintio a'u hatgyweirio i safon uchel ac yn adlewyrchiad o'r penderfyniad i ddefnyddio'r cyfoeth sydd yno bellach ar wariant cyhoeddus.

Wrth ddisgwyl am ymddangosiad ein siwtcesys ym maes awyr Domodedofo – maes awyr domestig cynt – anodd oedd peidio sylwi faint o'r bobl a oedd yn edrych fel petai nhw wedi bod ar eu gwyliau i fan arall o'r hen Undeb Sofietaidd. Tybiais eu bod wedi cael lliw haul ger y Môr Du. Yr oedd cwmni gwladwriaethol *Aeroflot* wedi diflannu, fwy neu lai, ar wahân i un awyren unig. Awyrennau yn eiddo i gwmnïau gwahanol yn cynrychioli'r gweriniaethau a safai ger y rhedfa. Llifai pobol o'r gweriniaethau i nôl eu siwtcesys ac nid oedd gan neb fwndeli blêr o'u heiddo.

Ar y ffordd i'r gwesty gwelais lu o garejis petrol ar hyd ochr y ffordd. Olew oedd brenin yr economi rŵan ac roedd hi'n amlwg fod y wlad, fel nifer o wledydd, eto i fanteisio ar ei botensial llawn i ddatblygu ynni adnewyddadwy. Yn naturiol yr oedd yna bla o hysbysebion yn gweiddi arnom i brynu hyn a'r llall. Efallai fod trigolion y ddinas yn eu hanwybyddu hwy gymaint â ninnau, yn yr un modd ag yr oeddent yn arfer anwybyddu'r galwadau i gyflawni'r cynllun pum mlynedd ar y ffordd i fyd sosialaidd.

Roedd fy nghorff a fy meddwl hŷn yn trio dygymod â'r newidiadau. Sefais yn yr Arbat. Cafwyd tipyn o hwyl. Dywedodd ffrind wrthyf, mae'n rhaid i ti gael tynnu dy lun yn y fan hon. Dyna a fu, llun ohonof wrth ochr arwydd yn dweud 'Wendy's *pectopah*!' (*restoran* – bwyty Wendy). Yr unig iaith estron a welwyd yno ar arwyddion o dro i dro oedd Saesneg. Roedd cwmni Coffee House wedi ei ysgrifennu mewn llythrennau Syrilig.

Nid oedd yr hen siop lyfrau yr oeddwn yn arfer mynd iddi i'w gweld ond, yn agos i'r lle y credwn yr arferai fod, roedd yna fyrddau yn gwerthu llyfrau ail-law ar y stryd – y clasuron, ychydig o lyfrau cyfoes ac ambell hen lawlyfr o'r oes Sofietaidd. Tynnwyd fy sylw gan blac ar wal un o'r adeiladau a oedd wedi cael ei atgyweirio'n ardderchog sef plac i Rubacof, awdur 'Plant yr Arbat' y comiwnydd hwnnw a gafodd ei garcharu fel cymaint o'i gyfoedion.

Cerflun Bwlat Ocwdzhafa, a plac i Anatolii Rubacof.

Ni welais arwydd *na remont*– 'wrthi'n cael ei atgyweirio' – yn unman. Nid oedd eu hangen bellach. Roedd rhaid i mi ddod i stop mewn un lle. Roeddwn wedi gweld hen ffrind cyfarwydd. Bwlat Ocwdzhafa a safai yno'n fychan, ei gorff eiddil wedi ei anfarwoli ar ffurf cerflun a blodau wedi'u gosod wrth ei draed.

Yn oriel odidog Tretiacof mae digwyddiad erchyll 1986 wedi ei gofnodi mewn triptych wedi ei enwi'n briodol 'Chernobyl'. Mae'r gair yn golygu 'Wermod' ac mae wedi dyddio 1986-7. Dangosai bobl fain fel sgerbydau wedi ei grafu i mewn i bren a phlastr gan yr artist Macsim Cantor. Darllenais y dilynol yn arweinlyfr yr oriel: 'Dehonglai'r artist y ddamwain yn Chernobyl fel diwedd y byd ac mae'n portreadu aelodau o'i deulu yno, fel petai'n personoli'r digwyddiad.'

Roedd y trên i St Pedrbwrg yn gyflym a llyfn. Pedair awr yn unig yng ngolau dydd. Rhuthrai'n dawel heibio i dai crand, *datshi*, tai *izba* traddodiadol a thir agored. Ar y sgrin uwchben dangoswyd ffilm gomedi. Yn y seibiant dangoswyd hysbyseb am drên newydd o'r enw 'Allegro'. Rhedai'r 'Allegro' rhwng St Pedrbwrg a Helsinci gan gymryd dim ond pedair awr arall. Anhygoel. Teimlais fel rhywun o Oes Fictoria yn rhyfeddu at y chwyldro diwydiannol a chefais bwl o hiraeth am yr hen locomotif du, sigledig, swnllyd, a'r gwely yn y *cwpe* dros nos.

Nid oeddwn yn cofio pa mor hir oedd Nefsci Prospect, na pha mor allweddol yw, yn plethu drwy'r ddinas hardd hon o afonydd a chamlesi a grym y Nefa. Roedd rhaid i mi gael un siwrne fach ar ben fy hun i lawr hen lôn fy atgofion, felly ar y bws â mi. Yr oedd y gost – dau ddeg tri rwbl – yn dipyn mwy na phump *copec* bellach ac yn lle rhoi'r arian i deithwyr eraill ei basio i'r blaen roedd yna ddynes yn cymryd fy arian a rhoi tocyn i mi. Yr oedd teithio ar drafnidiaeth gyhoeddus wedi mynd yn ddrud, tua'r un pris ag ym Mhrydain.

'Fedrwch chi ddweud wrthyf lle i fynd i lawr ar gyfer *Dom Cnigi*, y siop lyfrau, os gwelwch yn dda?' gofynnais i ddynes ifanc.

'Wrth gwrs,' meddai'n garedig.

Wedyn, cawsom un o'r sgyrsiau personol yna y medrwch eu cael pan rydych chi'n gwybod ei bod hi'n bur annhebyg y gwelwch chi'r person arall fyth eto. Olga oedd ei henw ac roedd ar ei ffordd adref o'i gwaith.

Yr oedd hi'n weithwraig gymdeithasol yn gweithio gyda phobol hŷn efo anableddau, meddai. Yr oedd ganddi un mab. Yr oedd hi wedi cael ysgariad oherwydd bod ei chyn ŵr yn ei churo. Profiadau anodd dros ben meddyliais a hithau mor garedig. Dangosodd y stop cywir i mi a lawr â mi, gan ddiolch iddi hi am ei chymorth a'i chwmpeini.

O fy mlaen safai'r tŷ llyfrau yr oeddwn mor hoff ohono, adeilad *Dom Cnigi* yn ei lawn urddas. Edrychai'n harddt, wedi ei adnewyddu yn ei arddull *art nouveau* gwreiddiol. Sefais am eiliad neu ddwy, neu hyd yn oed dair, yn syllu arno cyn mynd i mewn. Meddyliais am y tro diwethaf y bûm yno, a chofio'r hogyn a oedd wedi cael pum mlynedd o garchar am newid arian. Efallai ei fod yn ŵr busnes llwyddiannus bellach. Eisteddais yn y caffi i fyny'r grisiau gyda phaned o goffi o fy mlaen. Syllais ar y *décor* ac i lawr ar y traffig gyda'r bobl yn byrlymu ar hyd Nefsci Prospect. Chwaraeai miwsig Ffrengig yn y cefndir a disgleiriai teisennau anfarwol trwy wydr cabinet. Ymgollais yn llwyr yn rhamant yr awyrgylch. Cymerodd dipyn o ymdrech i mi symud oddi yno, ond roedd rhaid i mi fynd, yr oedd hi'n mynd yn hwyr.

Ond fedrwn i ddim mynd heb gael cip sydyn ar y llyfrau yno. Roedd yna gryn dipyn o lenyddiaeth dramor wedi ei chyfieithu i'r Rwsieg yn ogystal â'r clasuron cynhenid a gweithiau awduron cyfoes. Nid oeddwn yn barod i bori trwy lyfrau trwm na llyfrau trist y tro hwn. Euthum allan o'r siop wedi prynu llyfr doniol gan ddynes a oedd yn diffinio ei hun fel Rwsiad newydd.

Ar y teledu yn y gwesty roedd hanes blocâd Leningrad a chofiais yn sydyn mai dyna destun y llyfr yr oeddwn wedi ei brynu yn *Dom Cnigi* y tro diwethaf, dyddiadur ac atgofion y blocâd. Soniai'r llyfr am newyn yn lladd y bobl fawr, gryf, oherwydd eu bod angen mwy o galorïau. Dywedodd portar y gwesty wrthyf fod yna bobl a oedd wedi byw trwy'r cyfnod yn dal i gyfarfod yn St Pedrbwrg.

Diffoddais y teledu ac agorais fy llyfr Rwsieg newydd. Ar ôl darllen ychydig o dudalennau fedrwn i ddim peidio teimlo rhyddhad oherwydd ei naws lon.

A'r te, beth am y te?

Gofynnais am baned o de.

'Pa de fasa chi'n licio, Ceylon ynteu Earl Grey?'
'Te Georgia os gwelwch yn dda.'
'Does gennym ni ddim.'
'Dim te Georgia?!' Fedrwn i ddim coelio'm clustiau.
'Nag oes.'
'Pam?'
'Blocad. Embargo.'
Blocad? Embargo?
'Ia.'
'Pam?'
Ysgwyddau i fyny, dwylo allan.
Wel, dyna ni te, felly mae hi.
'Ceylon os gwelwch yn dda.'
Paned o de, cwmpeini heb ei ail, a syrthio i gysgu gan feddwl am gân Bwlat Ocwdzhafa y cyflwynodd y tiwtor yn yr athrofa yn Moscfa unwaith eto...

Dymuniad i ffrindiau
Gadewch i ni fynegi ein hedmygedd o'n gilydd ar goedd
Nid oes rhaid i ni ofni a dal y geiriau'n ôl
Gadewch i ni fod yn ganmoliaeth i'n gilydd...
Wedi'r cyfan hwn yw'r amser hapus, llawn cariad.
Gadewch i ni alaru ac wylo yn agored
Boed ni gyda'n gilydd, neu ar wahân
Na phoenwn am y geiriau creulon –
Mae tristwch beunydd ynghlwm â chariad
Gadewch i ni ddeall ein gilydd trwy hanner geiriau
Fel nad ailadroddwn ein camgymeriadau.
Gadewch i ni fyw fel hyn gan gynnal ein gilydd
Oherwydd byr yw bywyd, a dim ond unwaith y byddwn byw. .

Poll yw poll

Yn ystod blynyddoedd yr wythdegau cynnar, pan oeddwn yn dal yn fyfyrwraig, deuthum â the Georgia adre yn anrheg i fy nhad. Nid oeddem wedi dechrau defnyddio'r ffordd ffwrdd â hi o wneud paned gyda bag te a mỳg ac edrychem i lawr arnynt fel rhyw ddail mân a oedd wedi disgyn ar lawr ac wedi cael eu hysgubo i fyny, h.y. *sweepings* te. Wnes i ymestyn y llwy fach gron yn y tun te lle roeddem yn cadw ein te arferol. Roedd y paced coch tywyll o Gold Crown gyda'i lun coron wedi cael ei wagio i mewn i'r tun a'r caead yn cael ei wasgu i lawr i gadw'r dail yn sych. Agorais un o'r pacedi te Georgia gyda'i ysgrifen Syrilig a Georgaidd. Teimlwn eto'r dail trwy'r papur meddal, tenau ac ogleuwn ei arogl melys bron, heb hyd yn oed ei godi at fy ffroenau.

Rhoddais ddwy lwyaid hael o'r te gan ddefnyddio'r llwy gron, a'i ollwng i mewn i'r tebot ar ôl iddo gael ei rinsio a'i gynhesu gyda dŵr berwedig. Buasai George Orwell wedi'i blesio – roedd y tebot yn un brown, llestri pridd fel un fy Nain, nid un enamel nag arian. Yn ei erthygl yn yr *Evening Standard* ar ôl yr Ail Ryfel Byd yn 1946, credai Orwell fod te yn un o brif gynheiliad gwareiddiad ac mae'n esbonio'r ffordd yr oedd o'n mwynhau ei baratoi.

'Yr oedd gennym degell a oedd yn chwibanu a dyna'i chwib buan iawn yn dweud wrthym fod mwy o ddŵr berwedig yn barod i'w dollti ar y dail yn y pot. Roedd yna *tea cosy* wedi'i weu yno i gadw'r te yn gynnes tra bod y dail te yn cael ei gadael i sefyll yn y dŵr berwedig. Estynnais ddwy gwpan a soser yn barod wedyn. Os oedd un ar gael roeddem yn defnyddio *tea strainer,* gogr bychan a oedd yn eistedd dros gwpan i ddal y dail fel yr oedd y te yn cael ei dywallt allan. Fel arall, suddai'r dail i lawr i waelod y cwpan yno yn barod i'w ddarllen gan rheini a fuasai'n dweud eu bod nhw'n medru darllen eich ffortiwn. Buasem yn yfed y te gan adael ychydig ar ôl i osgoi llyncu'r dail. Roedd rhaid glanhau'r tebot yn ofalus, nid oedd yn syniad da gadael i'r dail fynd i lawr y sinc rhag iddynt eu blocio, roedd rhaid iddynt gael ei lluchio allan fel compost'.

Ar ôl iddo sefyll am tua deng munud, roedd y te yn barod i gael ei dollti i mewn i'r cwpanau. Buasai un o'r cwpanau yn cael dropyn o lefrith ynddo a llwy de o siwgr ar gyfer fy nhad, a finnau'n cael paned ddu.

Eisteddem yn y gegin yn eu hyfed a finnau'n dweud wrtho am Madonna a'i thad a'r amser yn Tbilisi. Disgynnodd tawelwch dros y ddau ohonom ac o rywle clywais fy hun yn gofyn iddo, 'Sut berson oedd hi Dad?' 'Wel,' meddai yntau, 'roedd hi'n dalach na ti.' A finnau'n clywed fy hun yn dweud eto, 'ond sut berson oedd hi?' 'Wel,' meddai yntau eto, 'doedd hi ddim mor *serious* â ti'. 'O...ond sut berson oedd hi fel arall?' clywais fy hun yn parhau. 'Fel chdi,' atebodd fy nhad. 'Ym mha ffordd?' gofynnais. 'Pob ffordd,' atebodd, 'pob ffordd.' A dyma ni'n disgyn i'r tawelwch yna eto, a finnau'n myfyrio am fy mam. Y ddau ohonom yn sipian ein te o Georgia, te lliw ambr, un fy nhad gyda'r dropyn o lefrith, dim blas chwerw, ond yn gysurlon, bron yn felys. Roedd gennyf lun o fy mam, dynes ifanc denau gwelw ei gwedd. Bywyd digon tebyg i Lwdmila ym Moscfa, y ddwy yn goroesi plentyndod yng nghanol dinistr eu dinasoedd yn ystod yr Ail Ryfel Byd. Nid oedd ei theulu wedi elwa o ddewrder fy nhaid yn y rhyfel. Dim ond y diwydiannau arfau a oedd yn elwa o ryfela, meddyliais. Ar ôl distawrwydd hir dyma fy nhad yn dweud, 'Pobl ddigon tebyg i ni ydyn nhw reit siŵr,' a finnau'n cytuno'n llwyr. 'Pobl yw pobl,' ychwanegodd yntau.

Eisteddem, ein dau, â'r drws ar agor.
Disgynnai mwyar yn drwm yn yr ardd
gyda'i ffrwythau'n aeddfedu'n biws.
Teimlai'r awyr yn ffres i'r anadl, dim
ond rhyw awel fach yn cario ei fymryn
o ronynnau llygredig o'r dinasoedd
pell. Meddyliais am haelioni Lwdmila,
cyfeillgarwch caredig Cwang, Ania a
Catia. Pafel yn fy ngwarchod wrth fynd
adref yn ddiogel trwy'r eira, Abdulah
â'i lygaid llawn dagrau yn canu be
oeddwn i'n meddwl oedd yn
gân yn perthyn i Mary Hopkin,
Sergei a'i drysor o ganeuon protest,
y llysgenhadaeth Brydeinig groesawgar
a gwaith caled y Cyngor Prydeinig,
addysg ymroddgar y darlithwyr, a'r
holl deithiau diddorol a drefnwyd ar
ein cyfer ni fyfyrwyr. Ac wrth gwrs,
y cyfarfod trwy hap gyda Madonna
a'i thad. A dyma fi'n ôl yn fy nghynefin
ac yn meddwl am y caredigrwydd a
dderbyniais wrth i mi dyfu i fyny
yno. Canai mwyalchen big
felen ei nodau pêr, a
rhyfeddais unwaith
eto at yr haul oren, crwn,
a guddiai ei ddirgelwch
yn araf y tu ôl i'r gorwel.

NODIADU

1. T. H. Parry Williams,
   Rhyd-ddu (1887 - 1975)
   Bardd Cymraeg, awdur ac
   academydd. Cafodd ei addysg ym
   Mhrifysgol Cymru Aberystwyth,
   Coleg Iesu, Rhydychen a
   phrifysgolion Freiburg a'r
   Sorbonne. Yr oedd yn
   wrthwynebydd cydwybodol yn
   y Rhyfel Byd Cyntaf. Prif thema
   ei ysgrifennu yw rhyfeddod am
   amgylchedd naturiol Eryri lle y'i
   magwyd.

2. T. Rowland Hughes,
   Llanberis (1903 – 49)
   Nofelydd, dramodydd a bardd.
   Cafodd ei addysg ym Mhrifysgol
   Bangor a Choleg Iesu, Rhydychen.
   Mab i chwarelwr. Awdur geiriau'r
   emyn 'Tydi a roddaist' a'r emyn
   plant 'Y Darlun'.

3. Efgeni Eftwshenco (1933 – 2016)
   Bardd Rwsieg a Sofietaidd,
   nofelydd, ysgrifwr, dramodydd,
   ysgrifennwr ar gyfer y sgrin, actor
   a chyfarwyddwr ffilm. Fe'i ganwyd
   yn Zima Junction, yn ardal Ircwtsc
   o Sibir.

4. George Orwell (1903 – 50)
   Nofelydd Saesneg, ysgrifwr,
   newyddiadurwr, Sosialydd
   democrataidd.

5. 'Eironi o Ffawd' gan Mosfilm
   (Comedi ramantus, 1976)
   Cyfarwyddwyd gan Eldar
   Ryazanof, Dramodwyr sgrin:
   Emil Braginsci ac Eldar Ryazanof.

6. Pollyanna (1913)
   Nofel ar gyfer plant gan Eleanor
   H. Porter. Aeth y 'Glad game'
   y chwaraeodd Pollyanna, prif
   gymeriad y llyfr, yn gyfystyr
   â rhywun gydag agwedd
   optimistaidd dros ben at fywyd.

7. Michail Sholochof (1905 – 84)
   Nofelydd sy'n adnabyddus am ei
   lyfr And quiet flows the Don, sy'n
   sôn am y Cosaci, pobl a ddaeth
   i fyw neu a groesodd y stepdir
   rhwng Asia a De Ewrop.

8. Macsim Gorci (1868 – 1936)
   Ysgrifennwr, dramodydd,
   gwleidydd. Awdur nodedig a
   phoblogaidd. Treuliodd ddau
   gyfnod yn alltud yn yr Eidal.

9. Kirsti Paltto (1947 –)
   Awdur yn yr iaith Sami.

10. Mary Hopkin (1950 –)
    Cantores a anwyd ym
    Mhontardawe, Cymru. Cafodd ei
    sengl gyntaf, Those were the days
    ei chynhyrchu gan Paul McCartney
    a'i rhyddhau yn 1968.

11. Boris Fomin (1900 – 48)
    Cerddor a chyfansoddwr a fu'n
    gyfrifol am gerddoriaeth y gân
    Rwsieg, 'Dorogoi dlinnoyu' a ddaeth
    yn felodi i'r gân Those were the days
    ar ôl i Eugene Raskin ysgrifennu'r
    geiriau Saesneg yn 1962.

12. Dervla Murphy (1931 –)
    Ganwyd yn Lismore, Iwerddon.
    Awdur llyfrau taith a beicwraig.

13. A. S. Pwshkin (1799 – 1837)
Bardd, nofelydd, dramodydd.

14. Anton Tsiecof (1860 – 1904)
Dramodydd ac awdur straeon
byrion.

15. Samuel Butler (1835 – 1902)
Nofelydd ac awdur. Roedd ei nofel
The Way of all Flesh yn rhannol
hunangofiannol a chafodd ei
gyhoeddi ar ôl iddo farw.

16. Anna Achmatofa (1889 – 1966)
Bardd.

17. Zhanna Bitshefscaia (1944 –-)
Cantores werin.

18. *Yr Aderyn Tân*
(Perfformiad cyntaf yn 1910)
Bale gan Igor Strafinsci wedi ei
seilio ar lên gwerin Rwsia.

19. Leo Tolstoi (1828 – 1910)
Awdur *Rhyfel a Heddwch* (1869),
Anna Carenina (1877) a nifer
o weithiau eraill.

20. Doris Day (1922 – 2019)
Ganwyd yn Cincinnati, Ohio.
Actores, cantores.

21. Anatoli Naumofich Rubacof
(1911 – 98)
Ganwyd yn Chernigof, Wcrain.
Awdur *Plant yr Arbat*.

22. Sergei Esenin (1895 – 1925)
Bardd, bu'n briod am gyfnod
gyda'r ddawnswraig Isadora
Duncan.

23. Isadora Duncan (1877 – 1927)
Dawnswraig Americanaidd a
choreograffydd.

24. Fladimir Semionofitsh Fysotsci
(1938 – 80)
Canwr, bardd, cyfansoddwr
caneuon, actor.

25. Bwlat Shalfofitsh Ocwdzhafa
(1924 – 97)
Bardd Sofietaidd, awdur, cerddor a
chanwr-ysgrifennwr caneuon o dras
diwylliant Georgia ac Armenia.

26. Kate Roberts (1891 – 1985)
Ganwyd yn Rhosgadfan,
Sir Gaernarfon, Cymru.
Awdur, nofelydd, cenedlaetholwraig.

27. Michail Iwriefich Lermontof
(1814 – 41)
Nofelydd, bardd, arlunydd,
swyddog milwrol.
Ganwyd ym Moscfa,
Ymerodraeth Rwsia.

28. John Ernst Steinbeck (1902 – 68)
Nofelydd, awdur straeon byrion,
newyddiadurwr rhyfel.

29. Shota Rwstafeli (*c.* 1180 – 1205)
Bardd cenedlaethol Georgia
a ysgrifennodd y gerdd epic
ganolesol 'Y Marchog mewn
Croen Teigr'.

30. Waldo Williams (1904 – 71)
Bardd, heddychwr, Crynwr. Awdur
Dail Pren a'r cerddi adnabyddus
'Cofio' a 'Mewn Dau Gau'.

31. Jean – Jacques Rousseau (1712 – 78)
Ganwyd yng Ngenefa.
Athronydd dylanwadol yn
ystod goleuedigaeth Ewrop
yn y ddeunawfed ganrif.

ATODIAD

Erbyn heddiw mae'n cael ei dderbyn mai proses o ddatblygu diwydiant oedd y cyfnod hwn yn hanes Rwsia, o dan y Tsar yn ogystal ag o dan lywodraeth yr hen Undeb Sofietaidd. Proses greulon iawn fel y cawsom ninnau yn y ddeunawfed ganrif. Yn Rwsia, roedd pobl yn cael eu gyrru i Sibir ac mae Efgeni Eftwshenco yn sôn am hyn yn ei gerdd enwog 'Zima Junction'. Tra roeddem ninnau'n anfon carcharorion i Awstralia am ddwyn torth gyda chanlyniadau tu hwnt o greulon ar y bobl gynhenid o hyd. Eraill yn dianc i America yn eu miloedd er mwyn lleisio barn rydd ar draul y brodorion cynhenid a'u ffyrdd hwy o ddiffinio a defnyddio tir. Ac yn yr hen Undeb Sofietaidd, pobl gynhenid llefydd fel Sibir a Georgia oedd yn cael eu disodli.

Roedd gan y llywodraeth gynllun pum mlynedd, ddim yn annhebyg i gynllun busnes pum mlynedd cwmni preifat, a oedd yn cael ei farchnata fel petai'n ffordd o gyrraedd delfryd comiwnyddiaeth, beth bynnag ydy hwnnw. Nid yn annhebyg i'r drefn yma, er ei fod yn cael ei farchnata mewn termau gwahanol, yw'r berthynas rhwng ein system gynllunio strategol ni gyda'i pholisïau ac amcanion yn anelu at weledigaethau tymor hir. Yn Rwsia, nid oedd masnach breifat yn rhan o'r cynllun, yn bennaf, efallai, oherwydd yr ysfa i gael y wlad i gyd yn gweithio efo'i gilydd i ddatblygu economi fodern o sefyllfa ffiwdal mewn byd sy'n newid, gyda chymdogion anghyfeillgar – Tsieina, Siapan, yr Almaen a gweddill gorllewin Ewrop. Mae Richard Pipes[16] yn tynnu sylw at sefyllfa Rwsia gyda'i chymdogion anghyfeillgar wrth gymharu datblygiad Rwsia gyda Chanada sydd ar yr un lledred ac sydd hefyd yn cynnwys tiroedd mawrion heb eu datblygu oherwydd hinsawdd a phridd gwael, ond gyda chymdogion llawer mwy cyfeillgar.

Cyfunoliad amaethyddol: proses oedd hwn i gynhyrchu bwyd ar gyfer poblogaeth gynyddol a oedd wedi cymryd lle ym Mhrydain cyn ein chwyldroad diwydiannol ninnau, er mewn ffurf wahanol. Yng Ngogledd

---

16 Richard Pipes, *Russia under the old Regime* (London: Weidenfeld and Nicolson, 1974).

Cymru datblygodd y chwareli farchnad fyd-eang yng nghanol ardal wledig gan hollti a naddu mynegiant diwylliant arbennig yr ardal. Bu rhai chwarelwyr yn cadw tyddyn yn ogystal â'r chwarel, economi 'belt and braces'. Ym Moscfa cefais wybod bod nifer o bobl yn tyfu pethau yn eu *dacha* yn y wlad ac yn eu tendio ar y penwythnosau er mwyn ychwanegu at y bwyd ar y bwrdd. I mi, mae sefyllfa pobl Sami, a'u perthynas gyda'r tir, yn adlewyrchu ein hanes crwydrol a'n perthynas newidiol ni tuag at natur. Ein tueddiad ni yw rheoli heb sylweddoli'n llawn faint mae natur yn ein rheoli ni.

Ystyriaeth fach wrth ysgrifennu am Rwsia a Rwsieg trwy gyfrwng y Gymraeg yw'r mater o enwau llefydd. Rwyf wedi cadw at eu henwau yn Rwsieg. Felly Moscfa a geir yma ac nid Moscow, a Sibir nid Siberia. Mae yna'r mater bach o drawslythrennu, sef y system o drosglwyddo llythrennau a sain Rwsieg i mewn i'r llythrennau Lladin yr ydym yn eu defnyddio yn Gymraeg a Saesneg. Yn Gymraeg, wrth gwrs, mae gennym y sŵn 'ch' ond mae hwn fel arfer yn cael ei drosglwyddo i'r llythrennau 'kh' yn Saesneg am y rheswm nad yw'r sain yn bodoli yn yr iaith honno. Enghraifft o hyn yw'r enw Mikhail, wrth ei ddarllen mae o'n swnio fel Michael yn y Saesneg ond sŵn 'ch' fel yn y Gymraeg yw'r gwir ynganiad. Da o beth fyddai pe bai gennym system ein hunain o drawslythrennu o Rwsieg i Gymraeg. Anhawster bychan gennym a fuasai'r sain 'ch' fel yn y gair Saesneg 'lunch'. Mae'r sain yno yn y Rwsieg ac wrth gwrs, nid yw'n bresennol yn y Gymraeg.

TRAWSLYTHRENNU O'R SYRILIG

Rwsieg	Saesneg
а	a
б	b
в	v
г	g
д	d
е	e
ё	e
ж	zh
з	z
и	i
й	i
к	k
л	l
м	m
н	n
о	o
п	p
р	r
с	s
т	t
у	u
ф	f
х	kh
ц	ts
ч	ch
ш	sh
щ	shch
ъ	"
ы	y
ь	'
э	e
ю	iu
я	ia

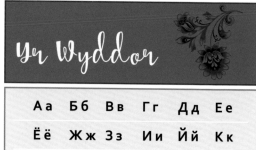

Yr Wyddor

А а	Б б	В в	Г г	Д д	Е е
Ё ё	Ж ж	З з	И и	Й й	К к
Л л	М м	Н н	О о	П п	Р р
С с	Т т	У у	Ф ф	Х х	Ц ц
Ч ч	Ш ш	Щ щ	Ъ ъ	Ы ы	Ь ь
Э э	Ю ю	Я я			

Os ydych am arbrofi o ran defnyddio'r wyddor Rwsieg, mae'r geiriau 'banc', 'metro' a 'tacsi', er enghraifft, yr un fath.

Y Llythyren Rwsieg	Y Llythyren Gyfatebol yn Gymraeg	Sain
А а	A a	Fel "a" yn Gymraeg
Б б	B b	Fel "b" yn Gymraeg
В в	FF ff	Fel "f" yn Gymraeg
Г г	G g	Fel "g" yn Gymraeg
Д д	D d	Fel "d" yn Gymraeg
Е е	IE ie	Fel "ie" yn "Iesu"
Ё ё	IO io	Fel "io" yn "cinio"
Ж ж	Zh zh*	Debyg i "Si" yn "Sian" ond caletach fel yn 'Brezhoneg'*.
З з	Z z*	Debyg i sŵn "z" yn 'Brezhoneg'
И и	I i	Fel "i" yn "ffin"
Й й	I i neu I i	Fel "i" uchod ond yn fyrrach
К к	C c	Fel "c" yn Gymraeg
Л л	L l	Fel "l" yn Gymraeg
М м	M m	Fel "m" yn Gymraeg
Н н	N n	Fel "n" yn Gymraeg
О о	Efo acen: O o	Fel "o" yn Gymraeg
	Heb acen: A a	Fel "a" yn Gymraeg
П п	P p	Fel "p" yn Gymraeg
Р р	R r	Fel "r" yn Gymraeg
С с	S s	Fel "s" yn Gymraeg
Т т	T t	Fel "t" yn Gymraeg
У у	W w	Fel "w" yn Gymraeg
Ф ф	F f	Fel "ff" yn Gymraeg
Х х	Ch	Fel "ch" yn Gymraeg
Ц ц	TS ts	Fel "ts" yn Gymraeg
Ч ч	Tsh	Fel "Tsienia"
Ш ш	SH sh (caled)	Fel "sh" yn "brwsh"
Щ щ	SH shtsh (meddal)	Fel "sh" a "tsh" uchod gyda'i gilydd: "shtsh"
Ъ ъ	Arwydd caled	Arwydd sy'n caledu sŵn y llythyren flaenorol
Ы ы	U u	Fel "u" yn Gymraeg
Ь ь	Arwydd meddal	Arwydd sy'n meddalu sŵn y llythyren flaenorol
Э э	E e	Fel "e" yn "set o lestri"
Ю ю	IW iw	Fel "iw" yn y Gymraeg (ond nid i'w!)
Я я	IA ia	Fel "ia" yn iard.

RHESTR TERMAU

Babwshca: Yn llythrennol 'Nain' ond yn gyffredinol, merched dros bedwar deg.

Balalaica: Offeryn tebyg i fandolin ond mewn siâp triongl.

Beriosca: Coeden fedw

Bisnesmen: O'r Saesneg, 'businessmen'.

Bolshoi: Mawr

Borscht: Math o gawl betys

Bouzouki: Offeryn tebyg i fandolin

Carandash: Pensel

Casha: Uwd wedi ei wneud fel arfer allan o wenith yr hydd

Catshapwri: Bara yn Georgia sydd wedi ei lenwi e.e. efo caws neu wyau

Cefir: Llaeth enwyn

Cfas: Cwrw heb alcohol

Chai: Te

Chernobyl: Wermod

Choghur: Offeryn llinynnol cynhenid Georgia ac Azerbaijan.

Comsomolu: Tebyg i'r Scouts

Datsh: Tai crand

Ded Moros: Siôn Corn

Dezhwrnaia (neu detshwrnaia):   gwarchodwraig ddydd a nos ar lawr yr hostel.

Dom cnigi: Siop (yn llythrennol 'tŷ') llyfrau

Dwdotshca: Offeryn tebyg i ffliwt neu glarinét

Farenie: Jam

Fechernii Svon: Clychau'r nos

Felicobritania: Prydain Fawr

Fo pole beriosca stoiala: Cân ar gyfer plant sy'n golygu 'Yn y cae safai coeden fedw.'

Garderob: Lle i gadw cotiau a hefyd wardrob

Glasnost: Cyfnod gwleidyddol yn hanes Rwsia pan ddaeth Gorbatshef i rym yn Llywydd. Ystyr y term *glasnost* yw gwleidyddiaeth agored

Grwssi: Georgia

Izbau: Tai pren traddodiadol

Lafash:	Bara melys ar ffurf olwynion
Lobio:	Ffa coch
Matrioshca:	Set o ddoliau o wahanol faint sy'n nythu un i mewn i'r llall
More:	Môr
Moscfa:	Mosg
Na remont:	Arwydd sy'n golygu 'yn cael ei atgyweirio'
Nefa:	Morfa
Obzhezhitie:	Math o hostel myfyrwyr
Osera:	Llyn
Papirosi:	Math o sigaréts rhad
Pelmeni:	Twmplenni, toes wedi ei lapio o gwmpas ychydig o gig neu bysgod ac wedyn ei ferwi. Tebyg i rafioli.
Perestroica:	Adrefnu gwladol – cyfnod eto sy'n gyfystyr â chyfnod Gorbatshef yn Llywydd Rwsia*Pioneru*: Tebyg i'r mudiad Cubs a Scouts.
Pochitaem na doswge:	Darllenwn yn ein hamser hamdden
Piridaite mnie poshalist'a:	Pasiwch hwn ymlaen, os gwelwch yn dda.
Piritshili:	'Ry'm ni yma o hyd', 'rydym wedi goroesi'.
Podstacannic:	Daliwr gwydr ar gyfer yfed te
Profodnitsa:	Cymhorthydd cerbyd trên
Restoran:	Bwyty
Sacebeli/sutsifi/garo/tcemali:	Gwahanol sawsiau
Salamuri:	Offeryn tebyg i ffliwt neu glarinét sy'n gynhenid i Georgia.
Samofar:	Teclyn i ferwi dŵr ar gyfer te
Shapca:	Het ffŷr
Smetana:	Llaeth enwyn wedi ei wneud allan o hufen/hufen sur
Spasiba (*spasibo*):	Diolch
Stolofaia:	Caffi neu ffreutur
Tagan:	Trybedd
Tamada:	Meistr y llwncdestun
Tiflis:	Tbilisi, prifddinas Georgia, 'Tiflis' oedd yr hen enw
Troica:	Sled a gâi ei thynnu gan dri cheffyl
Twman:	Niwl

Бумажный солдат - Булат Окуджава
('Soldiwr papur' — Bwlat Ocwdzhafa)

Один солдат на свете жил,
красивый и отважный,
но он игрушкой детской был:
ведь был солдат бумажный.

Он переделать мир хотел,
чтоб был счастливым каждый,
а сам на ниточке висел:
ведь был солдат бумажный.

Он был бы рад - в огонь и в дым,
за вас погибнуть дважды,
но потешались вы над ним:
ведь был солдат бумажный.

Не доверяли вы ему
своих секретов важных,
а почему?
А потому,
что был солдат бумажный.

А он судьбу свою кляня
Не тихой жизни жаждал.
И все просил: огня, огня.
Забыв, что он бумажный.

В огонь? Ну что ж, иди! Идешь?
И он шагнул однажды,
и там сгорел он ни за грош:
ведь был солдат бумажный.

MYNEGAI